ROMANZI E RACCONTI

2ª EDIZIONE
© 2016 Baldini&Castoldi s.r.l. - Milano
ISBN 978-88-6852-930-7

Art director *Mara Scanavino*
Graphic designer *Alberto Lameri*
In copertina elaborazione di *echi moderni*

www.baldinicastoldi.it
info@baldinicastoldi.it

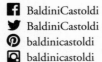

BaldiniCastoldi
BaldiniCastoldi
baldinicastoldi
baldinicastoldi

Gian Paolo Serino

Quando cadono le stelle

BALDINI&CASTOLDI

Sono il più grande artista che sia mai esistito.

Tutto quello che tocco diventa immortale. Su questa spiaggia non c'è granello di sabbia che non possa trasformare in arte. Io faccio questo. Ho sempre fatto questo. Trasformo le cose, le faccio diventare meraviglia.

Il sole mi brucia la testa e le braccia. La cosa non mi dispiace. La mia sdraio è bianca come i miei capelli, rigidi per la salsedine.

Questo mare francese stamattina mi sembra infinito. Immortale. Come me.

Se ci mettessi una firma sopra varrebbe milioni di franchi, e nelle aste la nobiltà europea e i galleristi newyorkesi si dissanguerebbero a forza di rilanci per comprarlo.

I bambini corrono per la spiaggia. Gridano come se scappassero dalla morte. Cadono, si ricoprono di sabbia.

Chiudo gli occhi e sento le loro voci sovrastare il suono del mare.

Jacqueline dorme. La fisso. Mi sembra niente di più che una bambina. Dorme con la faccia imbronciata.

Ho sempre notato in lei qualcosa di incredibilmente triste: qualcosa di indefinito che opprime me e deve opprimere anche lei, e che mi è incredibilmente familiare, in qualche modo. Quel qualcosa lo noto con maggiore forza, adesso che la guardo dormire.

Vorrei proteggerla, fare qualcosa per lei. Ma non farò niente.

Ho avuto tante donne. Non so se ne ho mai amata qualcuna.

Jacqueline dice qualcosa. Un bambino correndo le ha coperto le caviglie di sabbia.

Ricordo con una certa tenerezza che fino a poco tempo fa provava vergogna nel farsi ritrarre.

Suo padre l'ha abbandonata quando aveva due anni, o qualcosa del genere. Sua madre credo sia morta. Quando mi ha parlato della sua infanzia ha pianto. Ricordo di averla ascoltata poco, ma ricordo che i suoi occhi erano diventati ancora più grandi del solito.

Ha sempre lavorato molto, quando l'ho conosciuta aveva le mani sporche di creta. Non aveva neanche trent'anni e io più di settanta. Era un'operaia. Bella. Intelligente. Piena di velleità.

Penso a Françoise. A Dora. Marié-Thérèse. A Olga. Ogni tanto, fugace e insopportabile, mi ritorna in mente il pensiero di aver fatto loro solo del male.

Mi dispiace, ma dopo me c'è solo Dio.

Mi piego a toccare la sabbia con l'indice e scrivo il nome di mia madre.

A riva, vedo una donna seduta sul bagnasciuga.

Dietro la donna spunta una ragazzina. Esce per metà dall'acqua. Con le mani si strizza i capelli lunghi. Ha un costume rosso. Le forme geometriche di uno sviluppo inconsapevole e precoce. La morbidezza dei residui dell'infanzia.

La schiena le descrive una curva molto pronunciata, come quella delle ballerine. Non riesco a vederle il viso.

La donna sembra avere enormi premure per la figlia. La fissa mentre si tuffa e con grandi bracciate divora le onde delicate del mare, che le accarezzano il fondo del costume.

Vorrei tornare bambino. E non per rimpianto senile. Non sono uno di quegli uomini che iniziano a singhiozzare come neonati non appena ripensano alla loro infanzia, che credono quasi per convenzione che in età infantile siano stati necessariamente più felici.

L'infanzia è l'età dell'arte. E un artista vero è chiunque riesca a conservare il tratto dell'infanzia. A non perderne l'immaginario. A ricordarlo e riuscire a riprodurne la paura, la paura inconsapevole di un bambino durante la guerra. Io lo so. L'ho vista.

Pagherei tutto quello che ho per poter tornare a disegnare come un bambino. Vorrei disegnare con le mani di quella ragazzina. Vorrei provare la sua angoscia, avere i suoi istinti.

La tecnica è per i pittori mediocri, per i geometri.

Mio padre non sarebbe d'accordo. Lui che ha sempre avuto l'ossessione di dipingere, è riuscito a ritrarre solo se stesso.

Credo che la violazione intellettuale più grave che si possa compiere su un bambino sia cercare di limitarne l'istinto, cercare di irreggimentarlo con concetti, regole, convenzioni. Mio padre pensava che l'arte fosse a servizio delle regole, e non il contrario. È per questo che lui è morto anonimo. E io invece sarò sempre il più grande artista del mondo.

2

Dio quanto la odio quando fa così.

«E muoviti!» dico. Non m'importa se mi sentono tutti.

S'impunta a peso morto.

Il sole mi fa male alla testa. Mi ha bruciato tutte le spalle.

«Mamma! Voglio stare un altro po'», dice.

«Fuori, sei stata dentro un quarto d'ora, forza.» L'afferro per un braccio. È tutta sporca di sabbia e piagnucola come se avesse due anni.

Prendo l'asciugamano. Glielo metto sulla testa. Il suo corpo si agita come gelatina mentre l'asciugo.

Io a dieci anni pulivo i bagni del ristorante dove mia madre faceva la cameriera, dopo la guerra. E non facevo mai un fiato. Il mare me lo sognavo.

Invece Danielle è viziata. Si comporta ancora come una bambina. Vorrei scuoterla, vorrei che capisse presto che la vita non ci va tenera con le donne fragili e piagnucolose. O almeno, la vita non è stata tenera con me.

Mi chiamo Suzanne. Suzanne e basta. Sono nata nel '38, a Parigi.

Mio padre faceva l'artigiano, lavorava il legno, il ferro, o quello che capitava. È morto d'infarto durante l'occupazione. Io fino a quel momento non lo sapevo nemmeno che i tedeschi erano i cattivi. A quel tempo non sapevo niente. Poi un giorno mia madre dice che papà è morto per colpa dei tedeschi, che gli avevano dato fuoco alla bottega e a lui era venuto un colpo che l'aveva lasciato secco. Mia madre mi disse che non era colpa dei tedeschi, perché se papà aveva il cuore fragile l'infarto poteva benissimo venirgli per qualche altro motivo.

Non si commuoveva facilmente, mia madre. Ci teneva a mostrarsi sempre più forte di quello che le capitava. Anche se, più crescevo, più la vedevo piegata da tutte le sofferenze di cui si credeva più forte.

Non si disperava mai, però a me sembrava sempre disperata. Lo vedevo dallo stato dei suoi capelli. Erano sempre in disordine, sporchi, non li pettinava, diceva che era una perdita di tempo.

Lavoro qui a Juan-les-Pins. In un albergo di gente piena di soldi.

Pulisco i pavimenti. Talvolta i bagni, come faceva mia madre. Ci do dentro per pochi soldi e un alloggio sicuro nella foresteria che divido con mia figlia Danielle.

Tutte le mattine mi alzo alle cinque. Alle sette deve essere tutto pulito perché scendono i clienti per la colazione. Passo fra i tavoli bianchi del ristorante e vedo uomini quasi sdraiati sulle loro sedie di vimini, che parlano di politica e sputano il fumo dei loro sigari enormi. Le donne portano vestitini di seta o completi di marche di cui non conosco nemmeno il nome, ma non ci vuole nulla a capirne il valore. Portano cappellini microscopici. Hanno sempre un buon profumo. I capelli ben curati.

In genere sono tutti americani, inglesi e francesi. C'è anche qualche tedesco, di tanto in tanto. Danielle è arrivata così.

Avevo appena compiuto diciotto anni.

C'era quest'uomo, francese, del nord. Si chiamava Bernard. Era il proprietario di un'azienda tessile, o edile, o vai a ricordare. Era molto bello. Alto. Castano chiaro. Profumava sempre. Non era come gli uomini di servizio, i facchini con cui ho a che fare tutti i giorni, o i vari direttori dell'hotel che mi sono capitati e che non avevano un briciolo del fascino che aveva Bernard. Sembrava un attore americano.

Una mattina, era presto, mi aveva visto sgomitare con lo straccio sui pavimenti della sala da pranzo. Si era avvicinato, mi aveva detto che ero bella. Mi era piaciuto subito. Era stato gentile senza motivo. E il fatto che fosse stato gentile con me mi aveva fatto sentire speciale. Quello che avevo provato per lui era qualcosa che non avevo mai provato prima.

Una domenica mi aveva portato qui, proprio su questa spiaggia, e mi aveva offerto da bere, e a me non capitava mai di bere. O almeno non bevevo quello che beveva lui. Comunque, dopo un paio di bicchieri avevo la testa che mi girava. Ricordo che mi risvegliai nel suo letto, il lunedì notte.

Ero nuda. E in ritardo.

Avevo completamente dimenticato qualsiasi cosa: i miei orari, i miei pavimenti da lucidare.

Quella sera, per una volta, mi ero dimenticata di essere la donna di servizio. E mi era piaciuto.

Tornai da lui la sera stessa, non appena finiti tutti gli straordinari per recuperare il ritardo della mattina. Lui mi sorrise. Ricordo il suo sguardo, pieno di pietà e compassione. Da quel giorno ho giurato a me stessa che non avrei permesso più a nessuno di guardarmi in quel modo.

Comunque mi disse che sua moglie e le sue due bambine lo avrebbero raggiunto il giorno dopo. E così tutto finì.

Non me la presi più di tanto. Io, non so perché, non odiai mai Bernard, almeno non quanto ho odiato me stessa.

Nemmeno quando cominciai a vomitare senza motivo e a svenire tre o quattro volte al giorno. Nemmeno quando nacque Danielle.

Quello che ho odiato è stato quello che ho provato per lui. Il fatto che lo ricordassi tutte le notti, con tanta nostalgia. Come se fossimo stati insieme per chissà quanto tempo. Oppure il fatto che mi fossi illusa che avrei fatto una vita diversa. E non avrei mai più lavato i pavimenti, come mia madre.

Quel pensiero di un altro possibile futuro che Bernard mi

aveva dato, è stato così forte che, quando ci ripenso, ancora adesso mi dà piacere. Lo stesso che mi diede in un letto di una camera di cui ricorderò sempre il profumo, le lenzuola di lino, la teiera e le posate d'argento, la luce diversa dello stesso hotel che pulisco ogni giorno.

Danielle sgomita, scocciata.

Ho un momento fortissimo di tenerezza. Vorrei buttarmi con lei sulla sabbia.

Ma poi le guardo il seno che sta sbocciando, i fianchi che sembrano già pronti, il collo lungo e il sederino all'insù.

Non ha ancora idea di cosa farci, con il suo corpo. È quasi una donna e non ha la minima idea di quello che l'aspetta. Non posso garantirle una vita decente. Farà la donna di servizio anche lei, o la cameriera, o chissà cosa.

Mi sale di nuovo la rabbia. Non so se è lei che voglio proteggere o me stessa. E non so neanche da quali pericoli.

Danielle è il mio piccolo tesoro.

«Voglio stare un altro po'», mi dice con la sua voce candida e maliziosa.

Povero tesoro mio. Tutta l'ingenuità dei suoi undici anni non le ha permesso di capire il motivo per cui l'ho portata qui.

Alzo la testa.

Lui è lì. Prende il sole davanti a noi.

Lo guardo.

È l'occasione della nostra vita.

3

Durante la guerra vivevo a Parigi. Un giorno una SS venne nel mio studio.

11

A quel tempo non potevo esporre. Lavoravo e basta. Era frustrante. Avevo quasi sessant'anni.

Durante i primi mesi di occupazione la città gemeva spossata dal ritmo assordante delle marce e delle parate militari.

I tedeschi mi odiavano. Come odiavano tutta l'arte. Eppure venivano nel mio studio ogni giorno. Avevano sempre da dire qualcosa. A loro non interessava niente del contenuto artistico. Interessava solo quello politico. Le mie opere non ne avevano, e loro volevano trovarcelo per forza. Le esaminavano cercando qualcosa che potesse essere interpretato come resistente, o dissidente, o chissà cosa volevano trovare.

È strano. Non sapevano nulla di arte, ma sembravano comunque più competenti di tanti critici che giudicano i miei quadri.

Un giorno venne a trovarmi un ufficiale delle SS. Non lo conoscevo, non l'avevo mai visto.

Era basso, a differenza di tutti gli altri tedeschi che erano venuti a interrogarmi. Era pallido e non era biondo. Io pensavo che i tedeschi fossero tutti biondi. Come se l'essere biondi avesse fatto parte della loro divisa. Portava gli occhiali, aveva il viso allungato e il naso aquilino, gli occhi piccolissimi, quasi socchiusi. Aveva un aspetto così ordinario e inoffensivo che sembrava più un ragioniere del ministero delle Finanze che una SS.

Indossava un impermeabile nero sulla divisa. Fuori pioveva. I suoi stivali facevano scricchiolare le assi di legno del mio studio.

Nessun tedesco fino a quel momento era mai venuto a trovarmi da solo. Erano sempre stati almeno in due. Di solito parlavano in lingua fra loro e ridevano dei miei quadri. Schernivano tutto ciò che odiavano e odiavano tutto ciò che non capivano. «Sembrano i disegni di un bambino, Monsieur», mi aveva detto una volta uno di loro in francese, un soldato semplice che non avrà avuto più di vent'anni.

Questo, a oggi, è il commento più intelligente che sia mai stato fatto su una mia opera.

La SS ispezionava lenta e silenziosa lo studio. Le mani dietro la schiena. Esaminava le mie opere senza dire una parola. Ogni tanto annuiva.

«Le piacciono?» gli chiesi.

Lui non mi rispose.

Improvvisamente mi rivolse lo sguardo. «Lei ha conoscenze con artisti ebrei, Monsieur?»

«No. Lei?»

«Posso vedere i suoi documenti Monsieur?»

Li esaminò. Il mio passaporto, la mia carta di identità, tutto quello che trovò. Mi chiese i documenti solo per farmi perdere tempo. Per irritarmi. Io sedevo dietro il mio tavolo, tamburellando con le dita sul piano di legno. Non fare niente mi innervosiva. Lui sembrava che lo sapesse, vista la lentezza con cui faceva qualunque cosa.

Si sedette davanti a me. «Posso fumare?» mi chiese.

Io allungai il braccio, in segno di assenso.

L'ufficiale estrasse un astuccio dalla tasca dell'impermeabile e tirò fuori una sigaretta. Mi chiese se ne volessi una. L'accettai.

Fumammo senza dire una parola. L'ufficiale non la smetteva di fissarmi. Come se volesse che gli confessassi qualcosa. Io capii subito il gioco. Lo fissai a mia volta. Come se volessi che mi confessasse qualcosa lui.

Fumavamo e ci fissavamo. Potevamo sembrare due giocatori di poker nel momento di mostrare le carte.

«Ho una proposta da farle, Monsieur.» L'ufficiale si tolse il cappello. Lo posò sul tavolo. Si sistemò i capelli.

«Di che si tratta, Monsieur?»

Diede una lunga boccata di fumo. «Vorremmo che collaborasse con noi. Ci indichi tutti gli artisti ebrei che conosce Monsieur, e noi non la disturberemo più.»

«Mai più, Monsieur? È sicuro?»

«Mai più.»

«Bene.»

«Bene Monsieur.»

«Amedeo Modigliani. Andate a prendere quella canaglia giudea.»

L'ufficiale tirò fuori un taccuino e una penna.

«Bene Monsieur. Dove possiamo trovare questo suo amico Modigliani?»

«A Père-Lachaise. È lì che vive, Monsieur.»

L'ufficiale alzò la testa dal taccuino e fece una smorfia lieve, come di dolore. Bastò quel gesto, spontaneo, naturale, perché lo vedessi per quello che era: soltanto un semplice impiegato. Uno che doveva obbedire ai suoi capi. Non gliene sarebbe mai importato niente di tutti gli ebrei del mondo, tantomeno di quelli di Parigi. Era solo un impiegato, e di un'ignoranza mostruosa, tanta da non conoscere Modigliani e da non sapere che era sepolto nel cimitero di Père-Lachaise.

Iniziò a ridere, nervosamente. Come se avesse avuto l'obbligo di uscire dal mio studio con una lista di nomi.

Buttò la sigaretta. La spense con il tacco.

«Mi dispiace non poter essere più d'aiuto», dissi.

L'ufficiale annuì. Poi disse una cosa che non mi sarei mai aspettato.

«Un giorno appenderemo per i piedi lei e tutti i suoi ebrei, Monsieur. Arrivederci.»

Prese il taccuino e la penna. Li rimise nel taschino dell'impermeabile.

Non capii la sua reazione. Me la spiegai molto più tardi. Quell'ufficiale rappresentava la sintesi più esatta della guerra, era l'atrocità calata nell'aspetto dell'ordinario.

Si rimise il cappello. Sul tavolo notò delle stampe in miniatura di *Guernica*.

«L'avete fatto voi questo orrore, Monsieur?»

Spensi la mia sigaretta. Sorrisi.

«No, Monsieur, l'avete fatto voi.»

Si voltò. Sparì.

Non so davvero se capì quello che volevo dire.

Accendo una sigaretta e strizzo gli occhi. Vedo la bambina col costume rosso.

La donna che è con lei, potrebbe essere sua madre come la sorella maggiore, si alza e le fa segno di uscire dall'acqua.

La donna, non avrà più di trent'anni, ha modi e tono di voce che non si addicono molto al luogo in cui si trova. Mi chiedo perché si trovi qui, su questa spiaggia, in Costa Azzurra, tra l'alta borghesia di mezzo mondo.

Ha un vestitino di cotone giallo che le arriva alle caviglie.

Ha i capelli tutti scompigliati. Non se ne vedono molte di acconciature così trascurate, da queste parti.

Urla alla bambina di uscire dall'acqua. Lei non la sta a sentire e si tuffa di nuovo. Riemerge con i lunghi capelli che le coprono il viso.

La donna si arrabbia. Si alza. Afferra la ragazzina per un braccio.

Lei inizia a lamentarsi. Adesso piange, o qualcosa del genere. Ha ancora i capelli tutti rivolti sul viso. Una donna adulta se li sarebbe già sollevati. Lei no. Non ha vergogna di farsi vedere da tutta la spiaggia mentre piange e si soffia il naso con le mani.

La donna la trascina decisa fuori dall'acqua. La ragazzina

guarda per terra. Il braccio libero le penzola svogliato come un corpo morto. La donna le strofina i capelli con un asciugamano enorme.

Guardo la scena. Avrei voglia di prendere la ragazzina per mano e tuffarmi in mare con lei.

«Jacqueline, le vedi quelle due?»

Dorme.

Chiudo gli occhi anch'io. Di colpo mi sento esausto.

Sento battermi sulla spalla.

«Mi scusi, Monsieur Picasso?»

4

Ho solo ventotto anni. Sì, è vero. Ho i capelli scompigliati come mia madre. Ho la pelle bianca, come porcellana. Sul mio viso vedo ogni giorno più incisi i segni del mio lavoro, delle nottate sempre più frequenti in cui non riesco a prendere sonno.

Appena nata, Danielle mi ha distrutto i seni.

Mi sembra di odorare sempre di detersivo. In un certo senso è come se fossi già sfiorita.

Ma sono ancora carina. Sono ancora giovane, no? Se avessi tempo e modo, non mi servirebbe molto per rimettermi in forma. Comprerei un profumo francese, uno di quelli che sento la mattina sulle clienti dell'hotel. Non importa quale.

Poi mi truccherei. Metterei un vestitino a fiori che mi lasci le spalle scoperte. Verrei tutti i giorni in spiaggia a prendere il sole col bikini microscopico che ho visto alla Bardot in una rivista. O forse non era la Bardot. Non importa.

Insomma, mi farei notare, se solo riuscissi a mettermi in ordine.

In albergo ho sentito dire cose incredibili su di lui.

Avevo conosciuto questo tizio di New York, un certo John, o Jones o Jonas. Avrà avuto non più di trentacinque anni. Era molto ben vestito. Giacca, gilet, camicia, insomma tutto l'armamentario. Portava un paio di occhiali dalla montatura nera molto pesante, le lenti spesse gli rendevano gli occhi piccolissimi.

Cliente dell'albergo, naturalmente. Le mie conoscenze si limitano al mio posto di lavoro. Una notte, una di quelle in cui non riesco a dormire, ero scesa nella hall. Lo incontrai lì. Era seduto al bancone del bar. Si mise a corteggiarmi. Pesantemente. Era ubriaco e ci stava dando dentro come se avesse voluto morire quella notte. Non so cosa beveva di preciso. Io dopo Bernard non avevo più avuto occasione di bere. Gin, vodka, cose del genere, roba pesante. Fumava una sigaretta dopo l'altra.

«Perché è qui a Juan-les-Pins?» gli chiesi. Lo so che non si dovrebbe fare. Io di solito sono riservata. Sono gli ordini del Direttore. Però, non saprei, era bello parlare con lui. Ogni tanto allungava le mani e io gliele schiaffeggiavo. Mi divertiva.

Comunque, dopo un quarto d'ora arriviamo al punto: rappresentava un grosso gallerista di Park Avenue. Si trovava a Juan-les-Pins per acquistare un'opera. Un quadro di un grandissimo artista.

«Roba da milioni di dollari», diceva, «spero di non trovare qualche figlio di puttana che voglia soffiarmelo», buttò fuori un bel po' di fumo.

Roba di milioni di dollari, pensai. «Chi è? Come si chiama?» gli chiesi. Col senno di poi, mi accorgo di averglielo chiesto con troppo impeto. Lo spaventai.

Lui bevve ancora. «Non posso dirtelo», rispose, facendo una smorfia e un colpo di tosse.

«Io pulisco pavimenti. Per chi mi hai preso? Non potrei comprare un quadro del genere nemmeno in dieci vite. Puoi dirmelo il nome sai, è solo per curiosità.»

Lui scosse freneticamente la testa. «No no no. Potrebbe averti mandato qualcuno», disse, «è Trokowski? Ti ha mandato Trokowski? Lo sapevo, quel maledettissimo maiale polacco!» sbatté il pugno sul bancone di marmo del bar.

«Vive a Juan-les-Pins?»

«Chi? Trokowski?»

«No. Il pittore.»

Lui scosse di nuovo la testa. «Non posso dirti dove vive. Adesso è qui. E ti ho già detto troppo.»

Impiegai mezz'ora a spiegargli che non mi mandava nessuno. Alla fine lo convinsi. Non riuscii a farmi dire di chi fosse il dannato quadro.

«Tu veramente non ne hai idea? Insomma, quale pittore oggi può valere così tanto secondo te?»

«Forse non vale poi così tanto come dici», lo provocai.

Lui spalancò la bocca. «Non vale così tanto hai detto? Con un suo quadro si è comprato un castello. Sulla Loira. Ti dico solo questo. Basterebbe un suo scarabocchio per comprare questo cesso di hotel in cui lavori.»

Annuii. «Non lo sapevo. Non so nulla di queste cose io.»

Lui alzò le sopracciglia. Soffocò un rigurgito e si scolò un altro bicchiere. Ancora non lo convincevo. Sospettava di me, pensava fossi una specie di agente speciale o roba del genere.

Passò un'ora intera. Lui attaccò a parlare di sua madre e del fatto che la sua fidanzata l'aveva lasciato per un fioraio negro di Harlem. La cosa lo avviliva molto.

Io parlai tutto il tempo di Danielle, che è il mio unico

vanto. Non si sorprese granché quando gli dissi che avevo una figlia e che non ero sposata.

Mi chiese quanti anni avesse mia figlia. Risposi undici. Mi chiese se era bella. Risposi di sì.

Mi chiese quanto volevo per farla andare a letto con lui.

Di colpo mi sentii il cuore dentro la gola. Le mani fredde, gelate. Ero sconvolta, tanto da non riuscire a parlare. Passò qualche secondo. Gli dissi che se avessi sentito un'altra frase del genere l'avrei denunciato.

Non fu tanto la sua richiesta a sconvolgermi. So che ne esiste al mondo, di questa gente. E adesso penso che se non fosse stato così ubriaco non me l'avrebbe mai chiesto.

Fu piuttosto il fatto che, per un attimo, pensai alla cifra da chiedere. Pensai: quanto può valere Danielle? Quanti soldi posso farci?

Sappiate che io, tutto quello che faccio, lo faccio per lei, per il suo futuro. Penso sempre a lei. È l'unico obiettivo della mia vita, che, di per sé, non vale un accidente.

Comunque, alla fine della conversazione, l'uomo tirò fuori un pacco di banconote dal portafogli e barcollando ne sganciò un bel po' al barista. Infilò il portafogli nella tasca interna della giacca.

«Be', buonanotte… com'è che ti chiami?»

«Suzanne.»

«Suzanne e poi?»

«Suzanne e basta.»

«Okay. Buonanotte.»

Si voltò per andarsene. Barcollava. Lo afferrai per un braccio.

«Aspetta», dissi, «non vorrai tornare in camera tua in questo stato. Ti accompagno.»

Io non so di preciso che mi fosse preso. Non volevo lasciarlo andare. Non prima che avessi avuto qualcosa da lui.

Non ho vergogna di niente. Dopo quella notte mi diede dei soldi. Stavolta ero stata io a decidere con chi stare, come e per quanto tempo. Ero già un'altra donna rispetto a quella che aveva conosciuto Bernard.

La cosa che più mi importava però, era avergli sfilato il nome di quel pittore da milioni di dollari.

Mi sentivo euforica. Avevo qualcosa in mente.

Tornai in camera di Danielle con i soldi infilati nel reggiseno, come avevo visto fare a quelle attrici disinvolte dei film americani.

Mi sdraiai accanto a Danielle. Le carezzai la testa per tutto il resto della notte.

Scoprii che il pittore veniva in albergo per la colazione e per il pranzo, di tanto in tanto. Stupida, ce l'avevo avuto sotto il naso chissà quante volte.

Non avrei mai potuto avvicinarmi a lui. Non avrei saputo cosa dire. E poi quando lavoro sono brutta. Sono sfinita.

Ci ho pensato, e anche molto. Sono sincera. Ho passato tante notti a guardare Danielle dormire e a farmi un piano in testa.

Volevo sedurlo, ecco. Andarci a letto una volta. E chiedere qualcosa in cambio.

Giuro su Dio che ci ho pensato seriamente. Mi rigiravo nel letto e immaginavo quello che avrei dovuto fare, e sorridevo. Ma poi arrivava la mattina, dovevo alzarmi senza aver chiuso occhio. E allora tutto tornava come prima. Mi rendevo conto che la mia era solo l'idea di una disperata.

Mi sono fatta raccontare delle storie. Lui aveva avuto un sacco di donne, ma erano tutte intelligenti, o ambiziose, o che comunque capivano e amavano la sua arte da starci male. Io invece, fino al giorno prima, non l'avevo neanche sentito nominare.

Sono una donna incredibilmente ignorante. Lo so. Non ho problemi ad ammetterlo. Non ho mai potuto studiare. Tutto quello che so l'ho sentito dire.

No, mi sono detta, non potrei mai attirare l'attenzione di un grande artista. O almeno, non io.

Giorni fa ho chiesto informazioni a Jeanette, la capo cameriera dell'albergo. Mi ha detto che il pittore viene sempre su questa spiaggia. Mi ha fatto vedere delle foto, mi ha fatto vedere i suoi quadri su una rivista.

Danielle si siede sulla sabbia bagnata. Vuole provare a fare un castello.

È di nuovo tutta sporca. Non se ne rende nemmeno conto. O non le importa.

Ha fatto una piccola cupola. Adesso scava una conca, che viene riempita dall'acqua. La cosa sembra divertirla molto. È concentratissima.

«Danielle, tesoro.» Mi siedo accanto a lei. Le bacio la fronte mentre le accarezzo i capelli bagnati. «Adesso devi fare una cosa per me. Lo vedi quel signore?»

Lei fa cenno di sì con la testa, incuriosita dal compito che voglio darle.

Le prendo la mano. «Vieni con me. Adesso ti spiega tutto la mamma. Tesoro mio.»

«Chi è quel signore?» dice Danielle.

«Ma come chi è? Quello è Pablo Picasso, piccola mia. E noi siamo innamorate dei suoi splendidi quadri.»

5

«Mi scusi, Monsieur Picasso?»

Apro gli occhi. Vedo tante macchie colorate. Potrebbe essere una tela di Kandinskij.

È la donna. La madre della bambina col costume rosso, che si nasconde, timida, dietro di lei. Le tiene la mano.

«Mi perdoni se l'ho svegliata, Monsieur.»

Guardo la bambina. «Non si preoccupi, Madame. Perché ti nascondi, tu?» dico alla bambina. Lei si nasconde ancora di più. La vedo per metà. Sembra più piccola dell'età che deve avere. Il suo corpo semi adulto tradisce i suoi modi infantili.

Ha la schiena scoperta. Bianca. Bianchissima. Come una tela pronta per essere dipinta.

«La perdoni Monsieur, è molto timida. Avanti Danielle, saluta il signore.»

Niente da fare. La ragazzina non ne vuole sapere.

Guardo la donna. Ha il viso tutto rosso per il sole. Il naso piccolo, all'insù. Gli occhi chiari. È un bel viso. Con la mano si tiene fermi i capelli dal vento. Ha lo sguardo triste, come quello di Jacqueline.

Lei, a proposito, si è svegliata per vedere cosa stava succedendo. Poi si è riaddormentata.

«Monsieur noi siamo due sue grandi ammiratrici. Amiamo i suoi quadri. Lei è un grande artista.»

«L'unico, vorrà dire.»

«Mi chiedevo Monsieur… se fosse possibile… se potesse farci un disegno… è per la mia piccolina, sa, lei si vergogna da morire. È una grande appassionata delle sue opere.»

Guardo dritto negli occhi la donna. Quello che vuole da me è talmente chiaro che faccio fatica a trattenermi.

«Danielle. Ti chiami così. È corretto?»

La bambina, dopo qualche secondo, fa di sì con la testa. Con una mano si è aggrappata al vestito della madre.

«Qual è la mia opera che ti piace di più? Coraggio, puoi dirmelo.»

Silenzio. La bambina cerca lo sguardo della madre. Non lo trova. È fisso sulla sabbia.

Penso sia sconveniente fare la stessa domanda alla madre. Sarebbe troppo crudele.

Mi viene in mente un'idea. «Facciamo così, Danielle: tu mi dici cosa vuoi che ti disegni e io te lo faccio. Adesso. Qui. Dì, ce l'hai una matita e un pezzo di carta?»

«Ma certo Monsieur», dice la donna. Tira fuori dalla tasca del vestito un foglio bianco e una penna nera.

«Allora? Cosa vuoi che ti disegni, Danielle?»

«La scusi Monsieur, è solo una bambina.»

«No no no, figuriamoci: avanti. Cosa vuoi?»

La bambina diventa di colpo tutta rossa. Cerca di coprirsi ancora di più col vestito della madre. Vorrebbe sparire. Adesso, immediatamente. Se potesse volerebbe via, il più lontano possibile da questa tremenda vergogna che le sta procurando sua madre.

Accarezzai il viso di Danielle.

«Non preoccuparti, tesoro», le dico. Lei cerca di coprirsi le parti scoperte del corpo. È come se di colpo si sia resa conto che le sta crescendo un seno, che i suoi fianchi e le sue gambe attirano l'attenzione degli altri uomini. È come se stesse diventando adulta. In quest'istante.

Sua madre, invece, sembra se ne sia resa conto da un pezzo.

«Potrebbe disegnarci il mare Monsieur? Sarebbe splendido se potesse firmarcelo, Monsieur, così potremo incorniciarlo», dice, rompendo questo silenzio insostenibile per Danielle.

«Vuole il mare, Madame? Vuole che le firmi il mare, Madame?» rispondo. Sto per fare il primo tratto sul foglio di carta. Mi blocco. Di colpo ho un'illuminazione.

6

Tesoro mio, finalmente è tutto finito.

La nostra stanza sporca, l'albergo, l'odore della candeggina, è tutto finito amore mio!

Non devi più aver paura tesoro. Compreremo una casa tutta nostra, poi tornerai a scuola, ti comprerò tanti vestiti nuovi, ti comprerò i cereali per la colazione, ti sommergerò di bambole, mio grandissimo tesoro.

Mi comprerò tanti profumi, poi quei reggiseni, almeno un paio, e anzi, ce ne scapperà uno anche per te! E poi i migliori trucchi e cosmetici francesi per la mia pelle, andrò tutte le settimane dal parrucchiere, comprerò degli occhiali da sole, mi sistemerò, tornerò ad essere bella, troverò un marito, un padre per te, tesoro mio, saremo felici finalmente!

Ti porterò tutti i giorni al mare.

Non dovrai più preoccuparti di niente, Danielle, piccola mia.

Ti ha chiesto come ti chiami, Danielle, hai sentito? Che fai? Rispondigli, sbrigati, prima che...

Bene! Brava! Così, nasconditi pure, mettiti pure dietro di me, io sono tua madre, ti proteggerò per sempre, finché vivrò. Non aver paura di niente.

Stai andando bene tesoro, stai andando benissimo, sei stupenda, sei perfetta, qualsiasi uomo morirebbe per te, s'inginocchierebbe per te, impazzirebbe per te, piccolo splendore, sembri una diva di Hollywood in miniatura.

Se solo potessi sentirmi adesso, Danielle, saresti felice

insieme a me, capiresti perché ti sto facendo fare questo, capiresti tante di quelle cose che fino ad ora non ti sei nemmeno mai chiesta.

Da oggi non sei più una bambina. Quel tempo è già passato, per te. Ormai sei una donna, lo sei diventata senza accorgertene ma è questo che sei adesso e non puoi farci proprio niente.

Ti stai comportando da vera adulta, brava Danielle, non fare come tua madre, fai vedere chi sei, cosa puoi fare, ottieni quello che vuoi, coraggio.

Pensa alla tua vita, pensa al tuo futuro, lascia perdere tutto il resto, stai facendo la cosa giusta, piccola mia, e questa è l'unica cosa che conta.

Gli abbiamo dato il nostro foglio, che è vuoto e tutto da disegnare, com'è la tua vita. Gli abbiamo dato la nostra penna.

Non mi sono mai sentita così felice.

Tu sei il mio tesoro, Danielle.

7

Mio padre non se lo farebbe ripetere due volte. Prenderebbe il foglio di carta, una riga e un compasso. Farebbe un ritratto centrato, perfetto, anatomico della piccola Danielle.

Perché farle un semplice disegno su carta? Cosa dovrebbe farci questo piccolo fiorellino?

I bambini amano soltanto i propri disegni, cosa se ne fanno di quelli dei grandi.

La carta si consuma, brucia. I disegni non sono fatti per stare su carta.

Voglio fare qualcosa di più grande. Di immortale.

Mi servirebbe una tela.

Le farei qualcosa di grandioso. Le ritrarrei il volto di Dio.

Ma sarebbe comunque troppo poco. Le tele sono ordinarie. Io voglio fare qualcosa di straordinario per questa ragazzina.

La ritrarrei sulla sabbia, la ritrarrei nuda, seduta sul bagnasciuga. Ne farei la mia opera più bella. La venderei per duecento milioni di franchi. Diventerebbe presto un capolavoro.

Immortalerei la sua infanzia, che sembra le stia scivolando via ogni secondo di più dal corpo.

Guardo la piccola. «Voltati, Danielle», le dico.

Sua madre aggrotta le sopracciglia, cercando di capire.

Danielle mi guarda per un secondo. È terrorizzata.

«Voltati, Danielle», le ripeto.

Mi sento forte. Mi sento potente. Furioso.

«Voltati, Danielle!» dico più forte.

Adesso sia lei che la madre sono spaventate.

Afferro la piccola per un braccio. È morbido. Fresco. Trema un po'. Geme.

«Non aver paura», le sussurro.

Danielle piange. Le stringo leggermente il braccio. Lei apre la bocca. La volto di scatto.

Davanti a me, bianca e liscia, c'è la sua schiena perfetta. La mia tela più bella.

Prendo la penna e comincio a disegnarci sopra il mare.

Danielle guarda sua madre. Sente dolore. Ha gli occhi gonfi. Il pianto ormai sgorgato senza singhiozzi. Incontrollato.

Sua madre è immobile. Non può capire cosa ha fatto a sua figlia. Non può capire cosa ne sto facendo io: un'opera d'arte vivente, di cui tutti si ricorderanno.

Scrivo il nome di mia madre sul fondo della schiena. La mia firma. Il mio nome. Picasso.

Danielle scappa via, piangendo, corre verso il mare. Sua madre la segue camminando. Di tanto in tanto si volta verso di me.

Quello che fra poco si cancellerà dalla schiena di Danielle, rimarrà per sempre inciso nella sua memoria. Per sempre, da questo giorno per tutto il resto della sua vita, si ricorderà di Picasso: il più grande artista che sia mai esistito.

1

Al piano di sotto avevano messo un disco di Cole Porter.

Un uomo si alzò dal letto. Buttò fuori il fumo e la sigaretta dalla finestra. Nell'altra mano un bicchiere di whisky con ghiaccio.

Quelle feste di produzione erano sempre le stesse. C'era mezza Hollywood e questo non significava niente per lui, ma sarebbe stato troppo sconveniente non andarci. Era una di quelle occasioni in cui conveniva essere presenti, se non volevi che si parlasse male di te.

Si guardò attorno. Sul comodino di mogano della stanza da letto c'erano una ventina di cornici d'argento con le fotografie della famiglia del produttore, il padrone di casa. L'uomo fissò istintivamente gli occhi sulla foto di una vecchia signora, immaginò fosse la madre del produttore. Gli scappò un sorriso. Dio se era identica al vecchio Groucho Marx.

Pensò istintivamente alla sua, di madre, e al ricordo sbiadito che conservava di quand'era viva. Fosse potuto tornare indietro a quando aveva nove anni, avrebbe trovato il modo di farle fare tre o quattro fotografie e le avrebbe messe certamente anche lui sul comodino della sua camera da letto.

Finì il whisky che gli rimaneva nel bicchiere. Cominciò a masticare un cubetto di ghiaccio.

Non aveva nessuna voglia di scendere, di farsi vedere, di

fingersi contento. Era ubriaco, su questo non c'erano dubbi, ma aveva sorpassato quella fase di ebbrezza in cui di solito diventava più gradevole e simpatico, e gli era salita una tristezza aggressiva, quella che lo aggrediva sempre quando beveva troppo. E poi Cole Porter non aiutava, gli metteva altra tristezza.

Si guardò allo specchio. Sistemò un ciuffo che gli era sceso sulla fronte, lo incastrò tra i capelli, incollati tra loro dalla brillantina, lucidi e perfetti.

Si sembrò bellissimo. Bellissimo e perdente.

Sarebbe bello, pensò, rimanere qui dentro finché non se ne saranno andati tutti. Sarebbe bello se nessuno si accorgesse di me. Se la gente non mi riconoscesse più.

«Tu non sei Cary Grant», disse, mentre si guardava allo specchio, come fosse stata la battuta di un film. Scoppiò a ridere.

Bussarono alla porta.

«Archie? Sei qui dentro?» disse la voce preoccupata di una donna.

«Tu non sei Cary Grant... tu sei Katharine Hepburn!» gridò allo specchio, facendo cadere il bicchiere sul tappeto per le risate isteriche. I cubetti di ghiaccio saltellarono sul pavimento.

Era sempre stato maldestro. Non riusciva a tenere le cose in mano, gli cadeva sempre tutto.

«Cosa? Posso entrare?»

Era Anna Shubert, la segretaria di produzione.

«Se proprio devi, vieni Anna, vieni pure», disse l'uomo.

Anna entrò. Aveva trentadue anni. Era alta quanto il comodino, occhiali con la montatura nera e spessa, la voce stridula, un'energia eccessiva nel fare qualunque cosa.

Con entrambe le mani teneva una busta da lettere.

«Si può sapere che cosa fai qui da solo? Di sotto ti stanno cercando tutti.»

«Onestamente, Anna: ti sembro Cary Grant? Cioè, somiglio a quello dei film?»

Anna lo guardò male. Aveva capito che doveva essersi bevuto tre o quattro bicchieri di troppo.

«Certo che ti riconosco, Archie.»

«E allora chiamami col mio vero nome. Da oggi in poi mi chiamerai sempre e solo Cary. O dico alla produzione di licenziarti.»

«Okay, Arch… Cary», disse Anna, sospirando, mentre raccoglieva il bicchiere dal tappeto.

«Senti, a proposito…»

«Ce l'hai tu il fidanzato, Anna? Mi trovi attraente? Vorresti fare sesso con me?»

«Ah, e a Virginia non pensi? E poi sono sposata, Cary. E sei anche venuto al mio matrimonio. Potresti almeno far finta di ricordare.»

«Virginia è da sua madre. Abbiamo litigato. Non è voluta venire.»

«Non lo sapevo, mi dispiace.»

«Non importa. Adesso vattene.»

Anna sospirò di nuovo, stavolta più profondamente. Certe volte, quando ci si metteva, soprattutto quando era ubriaco, Archie poteva diventare molto scontroso.

«Dicevo, a proposito, stamattina è arrivata questa lettera per te. Cioè, è indirizzata alla produzione, ma è intestata a te. Ti ho cercato ma oggi non c'eri. L'avrei data a Virginia, ma…»

L'uomo non dovette leggere il nome del mittente. L'aveva già capito dalla grafia scomposta, elementare, dell'intestazione, dall'incertezza della penna di chi gli scriveva.

Senza staccare gli occhi dalla busta fece un gesto ad Anna.

Lei si ritirò immediatamente, chiudendo delicatamente la porta.

L'uomo voltò la busta, con le mani che gli tremavano un po'.

Sull'intestazione c'era scritto: "Per Mr. Grant".

2

«Come si sente stamattina, Mrs. Kingdom?» disse la capo infermiera.

Come ogni mattina, come ogni giorno, Elsie Kingdom si era seduta vicino alla finestra del salone della clinica col «Bristol Post» sulle gambe. Indossava una vestaglia bianca a fiori rosa e delle vecchie pantofole.

Erano quasi vent'anni che guardava la campagna di Bristol attraverso quel vetro sporco. I farmaci che prendeva non le facevano provare niente, né gioia né tristezza. Era semplicemente viva, come possono essere vive una mucca o una siepe del giardino della clinica.

Una vecchia radio trasmetteva a intermittenza notizie preoccupanti su questi tedeschi che stavano per far scoppiare un casino. Elsie non capiva cosa stesse succedendo esattamente, ma la voce dello speaker le sembrava sempre più preoccupata. O forse era lei, a essere preoccupata. In generale, non distingueva più se le cose accadevano a lei o agli altri.

Richard Hoover, il più pazzo del padiglione maschile, era schizofrenico o qualcosa del genere, comunque adesso stava rannicchiato all'angolo del salone, lontano da tutti gli altri pazienti, a bestemmiare Gesù e a gridare che presto i tedeschi avrebbero invaso il mondo e avrebbero ammazzato tutti. Povero Richie, pensò Elsie, sempre con quelle fantasie paranoiche. Una volta aveva anche cercato di spellarsi il pene con un pezzo di vetro.

Le particolarità riprovevoli della clinica erano molte. Una era l'odore. Elsie diceva che era odore di morte, anche se lei l'odore di morte non l'aveva mai sentito, ma comunque era sicura che non poteva essere peggiore di quello della clinica: un misto acido di disinfettante e malattia, di depressione e solitudine.

Elsie era una paziente modello: quasi invisibile, non una di quelle che urlavano alle infermiere mentre si strappavano i capelli, o che cercavano di stracciarsi le vene dai polsi o si strozzavano coi loro stessi pianti. No, la sua degenza era molto più quieta, più pacata, perché Elsie aveva già accettato quello che molti dei pazienti non avevano ancora capito o non potevano accettare: il fatto che lì dentro ci sarebbe morta, pur non avendo alcuna memoria di come ci fosse arrivata.

Per quello che ne sapeva lei, poteva pure esserci nata su quel letto bianco, tra quelle pareti bianche, tra le infermiere bianche, tra le negre vestite di bianco pure loro che pulivano i bagni bianchi con la candeggina la mattina presto. Ecco, ogni tanto pensava a loro e si diceva che effettivamente nella vita poteva andarti peggio: potevi nascere negro.

Elsie aveva i lineamenti del viso deformati dalle medicine. Aveva gli zigomi, le guance e il naso leggermente più gonfi del normale, e questo la faceva sembrare sproporzionata, ma, sotto quel gonfiore, s'intravedevano i tratti delicati di un viso bellissimo e gentile. Portava i capelli corti, ormai del tutto grigi. Li pettinava raramente.

Fuori, la luce del sole colorava l'erba curata del giardino di un verde inglese, che faceva quasi male a guardarlo. Un frammento di luce che entrava dalla finestra illuminò il «Bristol Post» adagiato sulle gambe di Elsie.

La radio in salone era una gran fortuna: non erano molte le cliniche psichiatriche nei pressi di Bristol che potevano permettersene una. Trasmetteva ogni giorno i radiogiornali, seguiti con morboso interesse dai pazienti della clinica, e qualche volta si parlava di spettacolo, di film, di Hollywood. Secondo Elsie, ripetevano ciclicamente sempre le stesse cose, parlavano solo dei tedeschi, dell'economia, di qualche fattaccio di cronaca successo a Londra. Per questo la parte più interessante per lei era quella dello spettacolo, del cinema, della finzione. Le piaceva pensare a tutto ciò che esisteva al di fuori del mondo che aveva conosciuto lei. Aveva sempre letto molto, le erano piaciuti da morire Stevenson, Doyle, Stoker, tanto quanto aveva amato Jane Austen e le Brontë, ma ormai non se ne parlava proprio, non tanto perché non riusciva a trovare dei romanzi, poteva benissimo farseli comprare da qualche infermiera, ma perché leggere era diventato uno sforzo impossibile, le faceva venire il mal di testa. Elsie Kingdom guardava solo le figure.

Le era capitato di vedere qualche film, tanti anni prima: ricordava vagamente di aver visto qualcosa di quel regista francese di cui non riusciva a ricordare il nome, che mostrava la luna con un missile infilato nell'occhio.

Perciò ascoltava con grande interesse la radio ciarlare principalmente di Chaplin o di attori americani famosi, che vivevano sulle spiagge della California e viaggiavano sempre in prima classe e bevevano liquori costosi che lei nemmeno aveva mai sentito nominare.

Aprì il giornale, andando dritta alla sezione Spettacoli, dove c'era il viso di un attore molto bello. Non si ricordava il nome, non se li ricordava mai, ma quel viso le era familiare, c'era affezionata in qualche modo.

Chiese un paio di forbici all'infermiera Betty. Non poteva dargliele. Allora si fece ritagliare la foto. Voleva attaccarsela sopra il letto, vicino al crocefisso di ferro e a una foto di Chaplin.

Rimase qualche secondo imbambolata, a guardare il viso pulito, sorridente dell'attore. Le piaceva molto, e, poteva giurarci, non era la prima volta che lo vedeva.

Si fece leggere il nome dall'infermiera Betty. «Cary Grant», disse lei. «Questo è il nome.»

Elsie se lo ripeté per evitare di scordarselo. «Cary Grant. Cary Grant. Cary Grant.»

3

Archie si svegliò nel suo letto con un cerchio alla testa che gli torturava le tempie, come se avesse avuto dentro il cranio un omino con un tamburo. I capelli gli erano diventati duri come un elmetto.

A parte il mal di testa, c'erano una serie di cose che lo turbavano, ma non riusciva a mettere a fuoco i pensieri, che gli si erano mischiati in testa come gli ingredienti di un cocktail.

Allora: per prima cosa non ricordava un bel niente della sera prima. Com'era tornato a casa? Poi. Si sentiva in bocca il gusto acido del vomito e del whisky. Poi? Poi… aveva dei flash in cui vedeva la segretaria Anna che chiamava aiuto, il padrone di casa che lo rialzava da terra e chiamava un taxi. Ah, ecco com'era tornato a casa.

Si tolse le coperte di dosso. Sgusciò dalle lenzuola. Capì di avere ancora la camicia addosso. Poggiò i piedi nudi sul marmo del pavimento. La sensazione di freddo gli provocò altro dolore alle tempie.

Sul comodino, sotto la lampada, c'erano un pacchetto di sigarette mezzo vuoto, alcuni gioielli di Virginia e la lettera che gli aveva dato Anna la sera prima.

Non l'aveva ancora letta. Sapeva già che era da parte di Elias Leach. Suo padre. Di solito gli scriveva solo ed esclusivamente per due motivi: o per raccontargli di come stavano sua moglie e suo figlio, o, più spesso, per chiedergli dei soldi.

Si alzò dal letto e si tolse la camicia. Aprì la lettera, camminando avanti e indietro per la stanza, cercando di sgranchirsi le gambe.

La lettera gli cadde dalle mani. Lui si chinò a raccoglierla. Guardò fisso il pavimento. E pianse.

Era mezzogiorno e un quarto. La segretaria Anna Shubert si era svegliata alle sei, era andata alla Paramount e aveva passato la mattinata a riempire scartoffie e a fare telefonate per coordinare il set di un documentario sui leoni marini che la produzione si era messa in testa di fare. Poi aveva sentito suo marito, che lavorava dall'altra parte degli Stati Uniti e, quando aveva riattaccato, aveva avuto una brutta sensazione: la sensazione che farsi assorbire dal suo lavoro li stava allontanando. Più che altro, aveva paura che lui avesse l'amante. E chi poteva impedirglielo?

Preoccupata, un po' nervosa per quest'ultimo pensiero, prese un taxi dagli studios e si fece lasciare a casa di Archie. Quando le aprì era in canottiera, aveva il viso bagnato e un pezzo di carta stracciato in mano.

Inizialmente Anna pensò che si trattasse di Virginia. Effettivamente non era ancora tornata a casa. Le venne in mente di chiederglielo, ma la domanda le rimase incastrata fra le labbra, perché si ricordò di non aver mai visto Archie piangere. Non l'aveva mai visto in quello stato, in realtà. Le sembrava confuso, arrabbiato, guardava fisso il pavimento.

«Cosa è successo?» disse soltanto.

Archie cercò di ricomporsi, alzò il ciuffo di capelli sulla fronte, strinse la lettera nella mano, ormai accartocciata.

«Era mio padre. Devo partire. Subito. Adesso.»

«Oddio, è successo qualcosa? Sta male?»

«No, no, non si tratta di lui. Non farmi domande, Anna.» Era come spiritato. Non aveva mai staccato gli occhi dal pavimento. «Senti… mi chiami Virginia? Non vorrei andare solo», disse.

4

Nei mesi invernali, la mattina presto, l'androne della clinica era sempre di un freddo insopportabile.

Elsie Kingdom era scesa dalla sua camera in vestaglia e pantofole, come sempre, con lo sguardo ancora annebbiato dal sonno e la vista che le sembrava sempre più fuori fuoco. Riuscì a vedere il «Bristol Post» su un tavolo e lo mise sotto al braccio.

Fece colazione coi croissant di plastica della mensa. Robaccia francese. Bevve del latte, con cui mandò giù le pillole della giornata.

Stranamente, quella mattina si era pettinata, cosa che non faceva più chissà da quanto tempo. Si era anche messa il profumo.

Dalla radio della sala arrivavano notizie sempre più preoccupanti dalla Germania. Pareva si fosse organizzata in una specie di partito, che aveva stravinto le elezioni e che si stava riarmando.

"L'Impero Britannico si prepara ad accogliere con favore e attesa la visita del Cancelliere Tedesco Adolf Hitler, in nome della pace e della libertà". Leggeva solenne lo speaker.

«Verranno a prenderci. Non c'è molto tempo», gridava il paziente schizofrenico Richard Hoover, con l'orecchio attaccato agli altoparlanti della radio. Intorno ronzavano lenti gli altri pazienti, uomini e donne, che con le pupille dilatate dai farmaci e le bocche semiaperte fissavano inebetiti la parete bianca.

Elsie osservò come, pur stando a contatto tutti i giorni, tra i pazienti non c'era mai stato nessun rapporto. Quando si parlavano si dicevano perlopiù cose senza senso, che nessuno capiva, più che altro si parlava e basta, si urlava, si piangeva, ma nessuno ascoltava mai niente. Nemmeno le infermiere ti stavano a sentire. Nemmeno le negre che pulivano i bagni.

Arrivò il direttore della clinica, il signor Bernstein. Elsie il nome non se lo ricordava, glielo leggeva ogni mese sul cartellino attaccato sul camice bianco.

Era un uomo alto, magro, indifferente, ebreo. Ecco, pensò Elsie, nella vita, poteva andarti peggio: potevi nascere ebreo.

Si versò dell'acqua in un bicchiere sporco di calcare. Ci mise dentro dei cubetti di ghiaccio. Bevve. Masticò il ghiaccio.

Si sentiva strana. Le sembrava di sentire qualcosa, una specie di stato emotivo persistente di natura sconosciuta, una sensazione di euforia che s'insinuava come un serpente fra le sue sinapsi incatramate da anni di farmaci e sedativi.

Aprì il «Bristol Post». Sezione Spettacoli. C'era il volto di quell'attore di cui non si ricordava mai il nome, e di fianco la foto di una bellissima ragazza. Doveva essere la sua fidanzata. Doveva essere un'altra attrice di Hollywood, per essere finita lì sopra. Elsie era contenta che l'attore si fosse fidanzato. A proposito, com'è che si chiamava? «Barry… Danny… Carry… Cary…» diede un altro sorso. «Grant!» disse, e il bicchiere le scivolò dalla mano, frantumandosi sulle piastrelle bianche. I cubetti di ghiaccio scivolarono sulla superficie lucida. Elsie si diede uno schiaffo sulla coscia. Era sempre stata maldestra. Non riusciva a tenere le cose in mano, le cadeva sempre tutto.

Da un momento all'altro, si rese conto che aveva voglia di piangere.

5

«Pronto?»

«Virginia, amore. Ascoltami, non riattaccare.»

Virginia Cherrill non rispose. Ma nemmeno riattaccò. Archie aveva poco tempo per spiegarle tutto.

«Devo andare in Inghilterra», Archie dovette accendersi una sigaretta per ritardare il pianto che sentiva dentro la gola.

«Perché?»

Archie non rispose.

«Quanto whisky hai bevuto stavolta, Archie?» disse la voce angelica e spietata di Virginia.

«No, no, non è così, amore, ti prego, devo partire, vieni con me, andiamo insieme io lo giuro non ce la faccio, non ce la posso fare, aiutami.»

Archie scoppiò a piangere. Fece a mente un rapido calcolo, e si rese conto di non aver mai pianto così tanto in vita sua come in quell'ora e mezza.

«Archie…»

«Ti prego, Virgie. Vieni con me.»

Virginia sospirò. Ad Archie parve di sentire il suo respiro

sulla pelle. «Dobbiamo trovare un modo per coprire il mio occhio nero», aggiunse poi.

Riagganciò.

Virginia Cherrill in quel momento indossava solo l'accappatoio e un grosso asciugamano sulla testa tipo turbante.

Sua madre non c'era.

Si mise davanti al grande specchio della stanza da letto e spalancò l'accappatoio.

Si accarezzò le forme, indugiando sulla pancia rosa, dura, piatta come una tavola. I seni piccoli, delicati, i fianchi stretti, un piccolo batuffolo morbido e scuro sull'inguine.

L'occhio nero, livido, le pulsava come un orologio. Ancora le faceva male.

Archie l'aveva colpita di sorpresa e lei, in quel momento, si ricordò di aver provato un'infantile, primordiale quanto autentica paura di rimanere uccisa.

Archie era geloso. Gelosissimo, di chiunque. E quando era sobrio peggiorava, e sfogava su di lei tutta la paura che aveva di perderla, di essere abbandonato.

Virginia si richiuse l'accappatoio.

Perché non l'aveva lasciato? Forse era una di quelle a cui piace farsi picchiare? Ce l'aveva qualche amica così, sapeva come funzionava la psicologia di certe donne.

No, non era il suo caso. Virginia era autenticamente innamorata di Archie, lo amava al punto che non bastavano i suoi pugni a cancellare quello che provava. Però, come diceva sua madre, *non puoi sposare un uomo che un giorno ti regala la luna e l'altro un occhio nero.*

Virginia lo amava, ma sentiva dentro di sé, ancora in forma non del tutto consapevole, che quella relazione non sarebbe mai potuta andare da nessuna parte: era destinata a morire, a spegnersi, a rimanere un aborto. E questa cosa l'addolorava molto, perché il suo amore era compiuto, sbocciato, al contrario dell'uomo che amava.

Il giorno dopo Virginia si mise del cerone intorno all'occhio. Uscì di casa con un paio di occhiali da sole che non tolse mai.

Archie, completo grigio, cravatta nera, gilet grigio, camicia bianca, perfettamente pettinato, abbronzato, sorridente, aveva un braccio intorno alle spalle di lei, boccoli biondi da bambina prodigio di Hollywood che le uscivano dal cappello di panno, il foulard intrecciato intorno al collo e la pelliccia marrone chiara che profumava di buono.

Erano bellissimi. Bellissimi e perdenti, pensò Archie.

Scesi dal taxi, Archie prese i bagagli di entrambi e qualcuno gli scattò un paio di foto. Lui sorrise, si prestò volentieri, come sempre. Le vere attenzioni però furono per Virginia. Neanche messo piede fuori dal taxi e già una decina di fotografi e cronisti le si piazzarono davanti senza farla camminare, chiedendole cosa andasse a fare a Londra, e se fosse stato il viaggio di nozze con Cary Grant. Lei, con lo stesso savoir faire del suo fidanzato, rispose che erano solo impegni di lavoro.

Mr. Grant, dal canto suo, ci era rimasto un po' male: quella ragazzina aveva fatto un filmetto con Charlie Chaplin in cui aveva interpretato una cieca e adesso tutto il mondo sembrava essere ai suoi piedi.

In verità però, quello che a Archie dava più fastidio erano le attenzioni che venivano rivolte alla sua compagna da parte di qualsiasi forma di vita di sesso maschile. Gli sembravano sempre di più, e sempre più invadenti.

Decise di far finta di niente. Ma le scene di gelosia, se non ci beveva sopra al più presto, prima o poi riemergevano in qualche modo. L'ultima volta che era successo, appunto, aveva colpito Virginia fra lo zigomo e le tempie, procurandole quel livido che adesso cercava di nascondere dietro gli occhiali scuri.

Era scaltra. Molto più di Archie. E lui, a quella scaltrezza, rispondeva con eccessi di rabbia furiosa o bevute generose, fino a stordirsi e scordarsi del tutto perché si era arrabbiato.

«Promettimi che non berrai», gli chiese lei prima di imbarcarsi.

«Te lo giuro, piccola. Su mia madre.»

Appena partita la nave, Archie si era già scolato da solo la mezza bottiglia di scotch che la compagnia gli aveva offerto come benvenuto.

Nella hall dozzinale, tutta lucida e marrone, si era piazzato al bancone del bar e buttava giù quartini di qualsiasi cosa. Il barista, appena ventenne e con la pelle del viso reduce da un'acne aggressiva, eseguiva più in fretta che poteva. Virginia, sotto i suoi occhiali scuri, stava in silenzio, imbarazzata, seduta su un divano al centro della sala, a sfogliare una rivista senza leggerla. Poteva sentire il marito che imprecava contro il barista: «Io sono Cary Grant. Dammi da bere».

Lasciò la rivista sul divano. Se ne andò in camera.

Dopo qualche ora due facchini accompagnarono Archie, totalmente ubriaco, nella matrimoniale.

Barcollando, raggiunse il letto e si sdraiò, buttandosi a peso morto sul materasso, completamente vestito. Virginia si era già infilata la veste da notte da un pezzo e, sdraiata, fissava il soffitto, sperando che quel viaggio finisse il prima possibile.

«Il tuo Charlie Chaplin è un maiale», disse Archie. Ogni suo respiro riempiva la stanza di rum e gin. Virginia dovette girarsi dall'altra parte per non sentirne l'odore.

Archie cominciò a sussurrare cose senza un senso particolare.

6

Si può provare affetto per qualcuno che non si conosce?

Elsie, di fronte alla foto di quell'attore, si era commossa, e questa era una cosa tanto insolita quanto disturbante.

Teneva gli occhi fissi sulla foto, attratta dal sorriso dell'uomo.

Qualcuno le toccò la spalla. Era il direttore Bernstein.

«Buongiorno Mrs. Kingdom», disse.

«Mi scusi dottor Bernstein, pulisco subito», disse Elsie, piegandosi a raccogliere il bicchiere frantumato.

«Non si preoccupi, manderò qualcuno ad asciugare. Sa, Mrs. Elsie, tra una settimana avremo un ospite qui in clinica. Discrezione e decoro, mi raccomando.»

Elsie non badò tanto alle parole del Direttore, quanto alla figura del paziente schizofrenico Richard Hoover che spuntava minacciosa dietro le spalle strette di Bernstein.

«Chi è?» disse lui.

Bernstein, spaventato, si voltò di scatto. Se c'era una persona in quella clinica che non voleva vedere, quella era Richard Hoover.

«Nessuno. Mi scusi», disse Bernstein, girando il suo naso adunco verso la Direzione.

«Questi ebrei cominciano tutte le guerre», disse Elsie.

«Hai sentito quello che ha detto? Avremo un ospite oggi...» Richie sgranò gli occhi, cominciò a sorridere e ad accumulare saliva agli angoli della bocca. «Io so chi è», disse.

Elsie raccolse il bicchiere da terra. «E chi sarebbe?»

«Adolf Hitler!» gridò Richie, indicando col dito affilato e tremolante la foto dell'attore sul «Bristol Post».

«Ma quale Adolf Hitler», rispose Elsie, «questo è...»

«Io non sono Cary Grant. Io sono Archibald Leach. Tu lo sai, mia cara, chi era Archie Leach? Io lo so. Ero un ragazzino con i calzoncini corti e le ginocchia sbucciate. Ero sempre sporco, sempre pieno di polvere. Anche adesso, la vedi? Io la vedo, me la vedo sulle mani, me la sento sul collo, dentro le narici. Mio padre faceva il sarto. Non aveva un soldo. Mi ricordo che ogni giorno gli rubavo quello che potevo. Quei quattro soldi che guadagnava io glieli fregavo, e ricordo che odiavo da morire andare a scuola. Poi mi ricordo un crack. C'è stato un crack. Avevo nove anni quando è morta mia madre. Papà aveva detto che era partita per curarsi, e che poi il cancro l'aveva uccisa. Io l'avevo presa così, come si prende una cosa brutta che ti succede. Pensavo che c'era questa cosa molto brutta che aveva ucciso mia madre. Avevo un nemico, capisci? Non mi sentivo colpevole della morte di mia madre. Non mi sono mai sentito colpevole per lei, cosa ne potevo sapere io, ero un ragazzino, giusto? Anzi. L'ho odiata, perché non stava più con me, sai? Te l'avevo mai detto?

«Ricordo una volta in cui mi ha sgridato per aver fatto arrabbiare papà. Avevo otto o nove anni al massimo. Dopo avergli preso tutti i soldi, gli avevo nascosto anche il portafogli. L'avevo infilato nel cassetto. E per un sacco di tempo. Gli avevo fatto credere che gliel'avessero rubato, e che io avevo visto i ladri, ma che erano scappati troppo velocemente, perché altrimenti li avrei inseguiti e gliele avrei suonate per bene. Be', mamma l'aveva capito subito che stavo dicendo una bugia, ma non mi disse niente. Secondo me voleva vedere fino a che punto avrei mentito. Io non capivo a quel tempo perché non mi avesse punito subito, perché lei di solito quando si arrabbiava dava certi schiaffi che ti stordivano. Forse adesso ho capito. Lei voleva che lo facessi da solo. Che andassi da mio padre, e gli dicessi: "Papà, il portafogli te l'ho rubato io. È tutta colpa mia. Perdonami".

«Ma io non l'ho mai fatto. E lei, quieta, mi guardava sempre, aspettandosi che prima o poi avessi fatto la cosa giusta.

Dopo qualche mese, un giorno capì che non avevo alcuna intenzione di confessare, e mentre stavo giocando a dadi con un compagno di scuola mi diede un ceffone dei suoi. Il più forte che mi avesse mai dato. Così forte che scoppiai a piangere disperato davanti al mio amico, che si spaventò talmente da scappare di corsa da casa nostra. Mi ero detto che non gliel'avrei mai perdonato, non tanto per il ceffone, quanto perché l'aveva fatto davanti al mio amico. L'aveva fatto apposta. Aveva voluto umiliarmi, per farmi capire che quello che avevo fatto era così sbagliato che non lo potevo nemmeno immaginare. Decisi allora, giurai, anzi, che non le avrei più rivolto la parola.

«Qualche settimana dopo mio padre mi disse che mamma stava male, e non c'era perché era andata a curarsi, io avrei voluto maledettamente chiederle scusa per non averle più parlato, e aspettavo tutti i giorni che tornasse. Poi mio padre mi disse che era morta. Che non era stato possibile fare niente.» Archie si voltò. Virginia dormiva con la bocca spalancata e le mani incrociate sul ventre.

Pensò di aver parlato tantissimo e di non essere mai stato così ubriaco.

Avvicinò le labbra al viso di Virginia. «Non avrei mai voluto farti del male. Perdonami per tutto.» Sussurrò, baciandole i boccoli sulla tempia.

Una settimana dopo, Isaac Bernstein sedeva agitato dietro la sua scrivania. Aveva le gambe incrociate, le mani poggiate su una parte del tavolo libera dalle scartoffie. Tamburellava nervosamente sul legno con le dita lunghe e affusolate, da pianista.

Ma il piano, Bernstein, non l'aveva mai suonato, era sempre stato troppo occupato a studiare. Prima i testi scolastici, poi la Torah, poi i libri di medicina e infine quelli di psichiatria.

Si era laureato col massimo dei voti, era l'orgoglio dei genitori, due negozianti immigrati tedeschi che avevano fatto sacrifici enormi per farlo studiare.

Per un po' aveva lavorato in ospedale, sempre a Bristol. Poi s'era liberato questo posto di direttore di una clinica psichiatrica molto conosciuta per la ricerca che effettuava su nuovi tipi di medicinali.

Arrivò, Bernstein, coi suoi metodi reazionari, conservatori, timoroso di tutto, e anche la ricerca, che era l'unico vanto della clinica, si bloccò.

Neanche il suo matrimonio fu molto felice. Sposò una ragazza ebrea da cui non riuscì ad avere figli. Sarebbe poi morta di cancro allo stomaco dieci anni più tardi.

Era il momento. Si spruzzò un po' di profumo sul collo. Non lo usava da così tanto tempo che l'erogatore era tutto appiccicaticcio, e dell'essenza di pino c'era rimasto solo l'alcol.

Si alzò. Aprì la porta dell'ufficio. Si schiarì la voce, tossicchiando. «Infermiera Betty? Può venire un momento?»

«Arrivo!» disse Betty Price, saltellando verso l'ufficio del Direttore. Muoveva le gambe veloci come le ali di un colibrì.

Sarà stata alta non più di un metro e sessanta. Il seno prosperoso le gonfiava il camice bianco abbottonato fino al collo e lungo fino a sotto le ginocchia. In mano portava sempre almeno una cartella di qualche paziente, al collo sempre un crocefisso d'argento.

Divorziata. Troppo carattere per un marito violento e ubriacone.

Non è che odiasse Bernstein, però le era sempre sembrato un uomo molto triste, un po' subdolo anche, ma questa cosa, era pronta a giurarlo sul suo Dio cristiano, non era certo dettata da un qualche tipo di pregiudizio nei confronti degli ebrei. Anche se quel naso adunco, la postura un po' curva, la corporatura esile del direttore, proprio non le piacevano.

«Posso?» disse, bussando alla porta dell'ufficio.

«Oh, prego, prego, si accomodi… anzi, chiuda pure la porta per piacere», rispose Bernstein, come se fosse stato sorpreso dalla sua visita. Ci teneva a farsi vedere perennemente indaffarato.

Betty chiuse la porta e annusò l'aria. C'era una puzza strana, come di acquavite. Per un attimo pensò che Bernstein si fosse ubriacato.

«Prego, si sieda», disse Bernstein, indicando una sedia di fronte alla sua scrivania. Betty si accomodò.

«Il motivo per cui l'ho convocata, Betty cara, è di enorme importanza. Sì. Proprio così. Enorme importanza.»

Betty poteva sentire le palpebre calarle pesanti sugli occhi. Il potere che aveva Bernstein di far addormentare la gente era di fenomenale efficacia.

«Avremo un ospite. Qui. Oggi. Me lo ha riferito McGregor, del "Bristol Post". Vuole favorire?» disse, porgendo a Betty un piccolo cestino di vimini con delle mentine. Betty rifiutò garbatamente.

«Glielo dico, Betty cara, solo perché ci sarà bisogno di

tenere a bada i pazienti più… problematici. Sa a chi mi riferisco, non è vero?»

«Hoover? Richard Hoover?» disse Betty.

«Esattamente. Teniamolo fuori da questa storia, è già abbastanza turbato di suo.»

«Ma chi…»

«E non dimentichiamoci di far lavare i pavimenti. Non sente che puzza che c'è qui dentro?»

«Sì, ma chi…»

«E le finestre. Faccia lavare le finestre dalle negre.»

Betty aspettò di capire se avesse qualcos'altro da dire. Niente, Bernstein taceva.

«Chi sarebbe quest'ospite, Direttore? Se posso…» disse, ostentando una discrezione finta quanto il biondo dei suoi capelli.

Bernstein si guardò intorno, come se fosse spiato. Fece cenno con l'indice a Betty di avvicinarsi.

«Glielo dico, ma solo perché è lei. Ma mi raccomando, Betty cara, non ne faccia parola con nessuno qui dentro, nessuna delle infermiere, nessuno dei pazienti, per carità.»

Betty scosse la testa, solennemente. Non ce la faceva più, voleva arrivare al punto.

Bernstein glielo disse. Betty squittì come uno scoiattolo. Promise che non l'avrebbe detto a nessuno.

Bernstein aveva in mente di chiederle se poteva invitarla a cena. Poi, come sempre, rinunciò.

9

Appena sbarcati a Londra Archie e Virginia Cherrill presero un taxi verso Victoria Station.

Sul treno Archie accusò un mal di testa feroce, accompagnato dalla solita nausea. Accanto a lui Virginia, stretta dentro la pelliccia, fissava i cavi elettrici scorrerle davanti velocissimi e la campagna inglese stendersi di collina in collina fino a una zona montuosa offuscata dall'umidità.

Come sempre, nella sua mente albergavano una serie di pensieri del tutto contrastanti fra loro. Odiava il fatto di doversi sentire in colpa se qualcuno le chiedeva un autografo in presenza di Archie. Odiava l'idea costante di farlo arrabbiare, e la paura di essere picchiata di nuovo.

Dall'altra parte, però, era contenta di essere presente in un momento così importante della vita del fidanzato. Sentì che lui in quel momento aveva veramente bisogno di lei, che senza di lei sarebbe morto, e questa cosa le faceva provare una sensazione di pacato benessere.

Si voltò a cercare lo sguardo di Archie, non lo trovò, ma in quel momento, come in tanti altri, il suo amore si rinnovò, capì perché aveva attraversato l'Atlantico solo per lui.

Era lì, di fianco a lei, nervoso, muoveva una gamba come se si fosse appena beccato una scarica elettrica.

Virginia allungò una mano e sfiorò quella di Archie. Per un po' si sentì felice.

Archie aveva preso a fumare una sigaretta dopo l'altra. Neanche le finiva. Ne succhiava una, dava un paio di tirate, la spegneva e ne tirava fuori un'altra, e così per tutto il viaggio.

Il cuore gli batteva alla velocità del treno.

Sentì qualcosa di delicato solleticargli la mano. Era Virginia. Gliela strinse come se fosse stato l'unico appiglio durante un uragano.

«Mr. Cary Grant?» gli disse un passeggero, già pronto con il «Bristol Post» e una penna per farselo firmare.

Lui fece un largo sorriso, si sistemò i polsini della camicia che gli uscivano per un quarto dalla giacca, firmò il giornale, tenendo la sigaretta fra l'indice e il medio, come nei suoi film.

Quando qualcuno lo riconosceva era sempre un brivido di piacere, in fondo. La gente si aspettava di vedere quell'uomo elegante, affascinante, maledettamente pieno di charme, con quel senso dell'ironia velato che rendeva interessanti e moderatamente maliziose le conversazioni con le donne. Grant, per qualcuno magari, doveva essere diventato un modello di uomo, da imitare, seguire, da cui imparare come comportarsi. Magari quel tizio che gli aveva appena chiesto l'autografo aveva visto i suoi film e un po' l'aveva invidiato per essere Cary Grant. «Anch'io voglio essere Cary Grant», avrà pensato, e avrà cercato di sfoggiare con sua moglie grassa e scontrosa, non come le donne nei film di Grant, la stessa sfrontatezza adorabile, lo stesso sorriso adulatore, avrà cercato perfino di imitarne lo sguardo.

La gente che lo fermava, fermava Cary Grant, voleva Cary Grant. Nessuno sapeva chi era Archibald Leach, e a nessuno interessava niente. Perché Archie Leach era diverso e uguale a tutti quanti. Anche Archie Leach, come tutti, era affascinato da Cary Grant, anche lui voleva maledettamente essere Cary Grant, e si sforzava ogni giorno per diventarlo.

Archie pensò che sarebbe stato bello se quel viaggio in treno si fosse trasformato in una delle sue commedie brillanti. Per prima cosa avrebbe iniziato a discutere con sua moglie, che gli avrebbe sempre risposto a tono, ma che, alla fine, si sarebbe fatta sopraffare dal suo charme.

E poi avrebbe bevuto litri di whisky e gin senza ubriacarsi mai, avrebbe ballato un lento, avrebbe baciato le mani delle donne, sarebbe stato pulito come Cary Grant, avrebbe profumato come doveva profumare Grant, non sarebbe mai più stato sporco.

S'immaginò bambino. Il volto di sua madre. Sentì la sensazione di caldo dello schiaffo sulla testa. Forte, saldo, maldestro, come l'amore che non era riuscito a dargli. Non aveva fatto in tempo. Sentì l'umiliazione.

Gliel'avevano rubata.

Gliel'aveva rubata suo padre. Come aveva potuto?

Per anni, aveva tentato di affogare nell'alcol e nello specchio infranto dei sogni di celluloide che regalava a milioni di spettatori il suo essere orfano di se stesso. Di una madre che non esisteva più, cancellata come uno scarabocchio da suo padre.

Ecco, questo proprio non riusciva a spiegarselo: come aveva potuto?

10

Seduta in salone a sfogliare il giornale, Elsie Kingdom sorseggiava il suo solito bicchiere d'acqua, lo centellinava come se fosse stato un liquore prezioso.

Il bicchiere le scivolò nuovamente dalla mano. I farmaci le dovevano aver fatto perdere sensibilità agli arti, su questo non c'era dubbio. Sentì un rumore.

Improvvisamente vide l'infermiera Betty uscire dall'ufficio del direttore. Prima camminando normalmente, a piccoli passi velocissimi, come faceva sempre, poi, di colpo, iniziò a correre come una forsennata. Si precipitò nella stanza delle infermiere e ci rimase per un quarto d'ora buono.

In un attimo, senza nessun motivo, scoppiò un putiferio: tutte insieme le infermiere sgusciarono dalla stanza, gli occhi e le bocche spalancate, e voci sgraziate e più alte del normale.

Cominciarono a sbottonarsi senza motivo le camicette, a stirarsi i grembiuli addosso e a tirarsi le gonne verso il basso. Qualcuna si toglieva la cuffietta e si sistemava i capelli, qualcuna di gran carriera tirava fuori dalle tasche uno specchietto e una piccola trousse, con cui si aggiustava il trucco alla svelta.

Arrivarono di corsa le negre, e cominciarono a darci dentro e a strofinare i pavimenti e i vetri delle finestre.

Poi corsero in gruppo verso il giardino. Prima una, poi le altre, alla fine dentro l'androne erano rimasti solo i pazienti e la radio accesa.

Fuori invece c'erano la luce ghiacciata del sole e la brina di febbraio.

Le assi di legno del patio scricchiolavano sotto le scarpe sanitarie delle infermiere. Davanti a loro il giardino, l'erba rasa e curata di quel verde acceso che assumeva di solito nei mesi invernali, la palizzata bianca intorno al perimetro, un gazebo di legno sulla sinistra, la stradina non asfaltata.

«Sono arrivati», disse Richard Hoover, schiacciatosi in un angolo. Cercava di farsi scudo con la sua vestaglia.

«Chi?» disse Elsie.

«I nazisti. L'ora è giunta, mia cara. Che Dio abbia pietà di tutti noi. Sento già l'odore dei nostri corpi bruciati.» Richard si sentiva già rassegnato ad accettare la morte, ma, nonostante questo, pronto a combattere contro i tedeschi. Si alzò, aprendosi la vestaglia, che adesso gli cadeva sui fianchi come un mantello.

Le infermiere si spingevano l'un l'altra sotto il patio, aspettando, si mettevano in punta di piedi per riuscire a vedere.

«Calmi, state calmi», disse il direttore Bernstein, frastornato da quella decina di infermiere che gli ronzavano intorno.

«Venitemi a prendere, tedeschi schifosi!» disse Richard

mentre attraversava l'androne stringendo i pugni, bestemmiando e strusciando le pantofole.

Gli altri pazienti, distratti dalla radio, si accorsero più tardi che stava succedendo qualcosa d'insolito. Incuriositi, si diressero anche loro in giardino ad aspettare, non sapevano chi, ma erano eccitati e spaventati dall'attesa.

Il direttor Bernstein, allertato dal rumore, fece capolino dal suo ufficio. Si arrabbiò molto quando vide i suoi pazienti lasciati soli nella sala.

Uscì, facendosi largo fra i corpi bianchi delle infermiere. Aveva capito benissimo.

Incrociò lo sguardo di Betty, che, colpevole, era diventata tutta rossa e guardava le assi di legno del pavimento.

Bernstein era stato tradito, e la cosa più che farlo arrabbiare, come avrebbe dovuto, lo aveva ferito. Non perché adesso bisognava riportare tutti all'ordine, non perché così si rischiava di agitare i pazienti, ma perché a tradirlo era stata l'infermiera Betty, la persona più cara che avesse mai conosciuto. La cosa che gli faceva più male di tutte, era che la vergogna che adesso provava Betty gli sembrò figlia solo ed esclusivamente dei loro rapporti di lavoro, del fatto che lei fosse una sua dipendente, che temesse il licenziamento magari per aver tradito la fiducia del suo direttore, ma non certo per un qualche tipo di sentimento personale.

Il cuore di Bernstein ci aveva messo un attimo a spezzarsi di nuovo.

In un attimo si precipitarono anche gli infermieri alti, bianchi e sgangherati del padiglione maschile.

Praticamente la clinica era rimasta vuota. Soltanto una persona era rimasta dentro.

Quando l'automobile nera si aprì, tutto il corpo sanitario della clinica si precipitò a vedere chi ne sarebbe uscito.

Il direttor Bernstein, arrivato faticosamente in prima fila, teneva lontane le infermiere e prendeva le valigie dal portabagagli. «Fermi», diceva al suo personale, che non gli aveva dato retta mai, figuriamoci se poteva dargli retta in quel momento.

«Scappate, maledetti pazzi, scappate», urlava Richard Hoover, meravigliato di come tutti quegli stolti non fuggissero di fronte a quell'uomo di cui tutte le radio parlavano, con preoccupazione.

Quella era solo l'inizio della fine, e nessuno se ne era accorto, tranne lui.

Tentò di avvicinarsi all'automobile nera. Di colpo, per poco non gli venne un infarto: incrociò il suo sguardo. Era lui. Non c'erano dubbi.

«Adolf... Hitler!» gridò, correndo furiosamente per il giardino, con le mani in testa e la vestaglia svolazzante. Ci vollero tre infermieri per immobilizzarlo. «Salvatevi, imbecilli, o siete d'accordo con lui? Spie, spie tedesche!» gridava Richie, disperato.

Il fatto passò quasi inosservato, tanto erano tutti distratti dall'ospite.

Elsie Kingdom, l'unica rimasta all'interno dell'edificio, era convinta di una cosa: era lei ad avere scatenato tutto quel trambusto, era colpa sua: aveva fatto cadere il maledetto bicchiere. «Scusate, scusate», diceva, «rimetto tutto a posto, state calmi.» E si chinò e cominciò ad asciugare l'acqua e i cubetti di ghiaccio quasi sciolti con l'orlo della sua vestaglia.

È che l'acqua le era finita sotto le pantofole e, non volendo, aveva sporcato tutto il pavimento. Si sentì terribilmente in colpa, le venne da piangere. «Scusate, scusate», diceva. Pensava davvero fossero tutti agitati per colpa sua. Avrebbe voluto morire.

Mentre puliva, si ritrovò davanti un paio di scarpe. Erano nere, erano lucide. Da tempo Elsie non vedeva una cosa così bella lì dentro. Anche il direttore aveva un bel paio di scarpe, ma di certo non erano così belle come quelle che le stavano davanti adesso. Alzò lo sguardo, e incrociò quello di un uomo alto e molto ben vestito.

Si alzò. L'uomo piangeva. Forse voleva dire qualcosa ma non riusciva a parlare. Gli stavano tutti intorno, tutti in silenzio, a bocca aperta, come se stessero guardando un film al cinema. Nella stanza non arrivavano neanche le grida isteriche di Hoover.

«Che c'è, caro? Io ti conosco…» disse Elsie, aggrottando le sopracciglia.

«Sono tuo figlio, mamma…» l'uomo fece un singhiozzo.

«No mio caro, tu non sei mio figlio», disse Elsie, accarezzando il volto dell'uomo. «Tu sei Cary Grant!»

Archibald si riconobbe negli occhi anestetizzati di sua madre, nel suo sorriso tiepido, nel suo tremore. Vide se stesso, vide Cary Grant, orfano per così tanto tempo di una madre che non era mai morta, e che non lo riconosceva più.

Avrebbe voluto abbracciarla, ma le braccia gli erano diventate pesanti, come se fossero state incatenate alla parete. Si voltò verso la porta per trattenere un singhiozzo e pensò a quel bambino il cui sogno era diventare famoso. In quell'attimo lungo un'eternità capì che, in fondo, la vita non era affatto una cosa meravigliosa.

Era Archibald Leach a essere morto.

Elsie Leach, sua madre, era stata rinchiusa in una clinica psichiatrica da un marito che non l'aveva amata mai. Quell'uomo gli aveva rubato la vita, gli aveva rubato la cosa a cui teneva di più: essere Archie. Ma lui, adesso, era Cary Grant. Accarezzò il viso della madre come avrebbe sempre voluto fare. «Hai ragione, mamma. Io sono Cary Grant.»

1

Normandia, Francia, giugno 1944

Alcuni di noi già galleggiavano riversi dentro l'oceano. Avevano ancora il fucile in mano, lo zaino, la piastrina e tutto il resto. La lancia alla nostra sinistra era stata colpita ed era esplosa facendo un rumore che non avevo mai sentito nemmeno durante le esercitazioni. L'onda d'urto quasi ci ribaltò. Ci abbassammo tutti immediatamente, come un corpo unico. Tutti e trentatré i ragazzi dentro la lancia di sinistra saltarono in aria: chi si era salvato dall'esplosione venne trascinato sott'acqua dall'equipaggiamento o capovolto dal salvagente.

L'unica cosa che volevo era sparare a qualcuno, volevo solo raggiungere quella maledetta spiaggia.

Mentre venivamo schiaffeggiati dalle onde, i nostri elmetti si scontravano in continuazione.

Pensavo a tutto senza riuscire a concentrarmi su niente.

Un aereo tedesco ci passò sulla testa.

Sembrava averci sfiorato. Fino al giorno prima eravamo solo ragazzi che non avevano mai visto la morte tanto da vicino.

Dalla spiaggia ci sparava l'artiglieria, ci sparava la fanteria con le armi di piccolo calibro, ci sparavano i mortai. I proiettili rimbombavano contro il ferro della barca.

A quest'ora avremmo dovuto essere tutti morti, non sapevo perché non lo eravamo ancora. Strinsi il Thompson sul petto come se bastasse a proteggermi. Pensai a Oona, riuscii a concentrarmi su di lei, mi serviva per ricordarmi che non sono ancora morto. Avrei voluto dirle che se avessi potuto tornare indietro avrei fatto tutto in modo diverso: lo avrei fatto veramente.

Avevo venticinque anni, ero il più vecchio del mio reggimento. Forse pensate che questo avrebbe dovuto farmi sentire in qualche modo responsabile del destino degli altri, ma non è per niente così. Non sono mai stato un eroe, e non me ne fregava niente di esserlo. Ognuno laggiù era solo con la propria paura, e questa forse è una di quelle frasi che si potrebbero dire per tutte le circostanze dell'esistenza, ma io non ne so niente di queste cose.

Avevo passato gli ultimi mesi a sognare lo sbarco, e di colpo tutto quello che volevo era solo che quella dannata carretta si aprisse e io riuscissi a raggiungere la spiaggia. Avrei iniziato a correre più veloce che potevo, non ce la facevo più a stare fermo.

Eravamo tutti accovacciati. Mi sporsi quel tanto che bastava dal bordo arrugginito della barca per vedere quanto mancava alla spiaggia. Nelle lance che ci precedevano i timonieri ci diedero dentro col fischietto. Sentii l'aria fredda sulla fronte. Le porte si spalancarono e si scatenò un inferno di proiettili e mortai, ragazzi che non ritornavano più a galla, saltavano in aria per le mine o cadevano a faccia in giù. Questo è quello che stava per succedere: le lance si sarebbero aperte a un centinaio di metri dalla spiaggia. Dovevamo nuotare, correre con l'acqua fino alla gola prima di sentire la terra sotto i piedi. Dio ti prego fammela raggiungere, pensavo.

Il nostro timoniere fece manovra e invertì la barca. Eravamo già così vicini?

«Muovete il culo signorine», urlò il timoniere con la sua voce potente.

«Ci siamo.» Strinsi forte il fucile. Pensai solo a Oona.

La mia ultima volta in mare è stata sulla *Kungsholm*, una nave da crociera svedese, di quelle extralusso, piene di uomini in frac e donne elegantissime.

Mi piacerebbe scrivere un racconto breve su un personaggio che intrattiene la gente sulle navi. Lo chiamerei Tommy.

Comunque, è il febbraio del '41. Fa freddissimo: se stai cinque minuti sul pontile ti si bruciano le orecchie e si paralizzano le dita delle mani.

Soffro il mal di mare per un paio di giorni. Il vecchio Herbert invece sembra uno che sulla nave ci è nato, per quanto se la cava bene.

Andiamo verso le Indie Occidentali, Caraibi. Lavoro come intrattenitore, canto canzoni cretine, faccio ballare le ragazze e tutto il resto. Già non facevo una bellissima vita, ma era comunque molto meglio di adesso.

Mi piace stare intorno alle ragazze, non importa quello che fanno. Quando parlano tra loro alzano la voce e gesticolano. A me piace guardarle anche se non fanno niente.

Ragazze intorno non ne ho mai avute così tante, se proprio volete saperlo.

Non sono un granché a ballare. Sono troppo alto per qualsiasi approccio, mi sento un grosso gigante goffo. Io e Herbert, il mio amico dell'accademia militare che mi ha costretto a imbarcarmi dicendomi che ce la saremmo spassata e cose del genere, ogni sera ci vestiamo con roba tutta elegante, giacca papillon eccetera, e scendiamo al ristorante, dove c'è un piccolo palco per il cabaret, le canzoni e le solite cose che al di fuori di una dannata crociera non attirerebbero mai nessuno.

Herbert è alto come me: anche lui ha avuto uno sviluppo improvviso intorno ai sedici anni, e credo che la sua caratteristica più interessante sia il fatto di avere praticamente un unico grosso sopracciglio. Però è maledettamente sveglio, molto più di me. Ha avuto già una decina di fidanzate. Ci sa fare. È simpatico e tutto il resto. Con le ragazze ha una tattica precisa, anzi due, che sono il suo marchio di fabbrica. La prima: fa finta di essere stupido. Come una specie di ritardato, ma così idiota da suscitare in loro una tenerezza che sfocia sempre in coccole e bacini, poi in altro, se a Herbert gli va di tirarla per le lunghe.

Ricordo una sera in particolare, in cui Herbert faceva il cretino con questa ragazza di Philadelphia, diciannove anni, magra come se non mangiasse da mesi.

Se proprio volete sapere qual è la seconda tattica di Herbert, eccola qui: attaccarsi a chiunque gli capita a tiro, non importa di chi si tratta, a lui tanto vanno bene tutte.

Sono seduto al tavolo e faccio finta di farmi piacere un bicchiere di vodka. Non puoi pensare di stare in un posto del genere senza una ragazza restando sobrio. Dagli altoparlanti esce un disco di Louis Armstrong. Mi guardo intorno e vedo i mariti e le mogli e le figlie e le coppie vestite di classe. Non mi sento granché bene, non faccio che pensare che non mi piace stare solo, sento che mi manca da morire una ragazza. Più ci penso più ci sto male e più ci sto male più mi sento patetico.

La verità è che le ragazze non le conosco ancora. Conosco quello che si prova per loro, l'ho letto nei libri, e mi sono innamorato di quella cosa da starci male, ma fino a oggi non ho mai avuto veramente una ragazza. Mi sento portato a innamorarmi di una sola persona e basta, non come Herbert, che ha deciso generosamente di distribuire il suo amore a tutto il mondo femminile.

Aspetto senza tranquillità la ragazza giusta. L'aspetto così tanto che finisco per vederla un po' dappertutto.

Per esempio, c'è questa ragazza seduta davanti a me, a qualche tavolo di distanza. La guardo fisso, non mi vergogno. L'alcol, la musica e tutto il resto mi rendono più spavaldo. Lei comunque non si è accorta di me. Porta un vestito da sera blu scuro, collana d'argento, capelli biondi raccolti dietro la testa eccetera. Molto bella. Beve da sola un bicchiere di vino. Il punto è che sembra annoiata almeno quanto me e sembra detestare tutta quella situazione, almeno quanto me. Insomma, me la sono già immaginata intelligente, sola e misantropa come me.

Ecco qual è il problema: sono così innamorato di me stesso che mi cerco nelle ragazze. Alla fin dei conti, però, rimango sempre deluso, perché l'idea iniziale non corrisponde mai alla realtà. Ed è così tutta la storia, non c'è niente da fare. Finché un giorno, di colpo, cambia tutto quanto: il giorno in cui conosco Oona.

Sulla nave non riesco a scrivere granché. Ho portato nella valigia le prime pagine di un racconto, una cosa lunga e noiosa forse, con un protagonista strampalato, che ancora adesso non so che fine gli farò fare. Scrivo in genere racconti sempre abbastanza brevi coi quali ho intasato la posta del «New Yorker», e di rimando le loro lettere di rifiuto hanno intasato la mia.

Ho frequentato un corso di scrittura creativa alla Columbia University, anche se secondo me non si può insegnare a scrivere, insomma, non è come fare le addizioni e roba del genere. Nel frattempo ho pubblicato alcuni miei lavori su «Esquire», «Story» e «Collier's».

Essere uno scrittore è l'unica cosa che mi interessa, e ancora oggi è così. Non so spiegarvi perché, né mi interessa molto saperlo. Ma c'era un grosso problema.

Scrittori che si rispettino, non so, Hemingway, Fitzgerald e così via, devono avere una conoscenza approfondita della vita, devono averla vissuta davvero, per poter raccontare qualcosa. Io, da ragazzotto ricco e annoiato dell'Upper East Side, che ha sempre vissuto in una tranquillità ipertrofica, con l'unica preoccupazione di dover scegliere ogni due mesi quale modello di scarpe nuove comprare e stronzate del genere, non so un cazzo della vita. E poi non ho mai avuto ragazze, figuriamoci.

L'unica esperienza che mi ha insegnato qualcosa è stato l'addestramento militare. Per il resto la scuola, il liceo, i professori, forse perfino il maledetto corso di scrittura alla Columbia non sono serviti a un accidente. Ho ansia di fare qualcosa. La guerra, per esempio.

Io neanche potrei arruolarmi, a dire la verità. Ho un problema fisico, di quelli che sarebbe imbarazzante rivelare. Non sono risultato idoneo. Ecco perché ho fatto domanda da volontario. Succede poi che una volta entrato in guerra il mio Paese, guarda caso, avendo sempre più bisogno di ragazzi, ha cominciato ad allargare le selezioni, le ha rese meno rigide, così da permettere a me e altri scarti di rientrare.

Dopo questa dannata crociera concluderò il mio addestramento. Poi, finalmente, niente mi separerà più dalla guerra. La aspetto con ansia, e una strana dose di euforia, come se non vedessi l'ora di sparare nel culo a qualche nazista. Questa è un'espressione molto in voga tra noi ragazzi, prima di cominciare la guerra. Chissà poi se la useremo ancora.

Vorrei che questa nave della malora tornasse indietro e salpasse in questo momento sulle coste francesi. Non ne posso più. Mi sa tanto che non sono un tipo da crociere, io.

2

Cherbourg, Normandia, luglio 1944

Ci accampammo dentro questa chiesa semi distrutta dalle bombe. Eravamo fradici e infreddoliti, ma era una gioia rara dormire sotto un tetto. Non scrivevo da giorni. Lo feci in quel momento, invece di riposare. Tanto sapevo che non ci sarei riuscito.

Era tutto buio, mi feci luce con una candela trovata qui in questa chiesa, come un amanuense del dodicesimo secolo.

Arrivammo in quella città smembrata dai tedeschi dopo essere passati attraverso distese di campi allagati.

Non sapevo quanti di noi fossero rimasti nel fango, sapevo che prima eravamo così tanti e adesso sembravamo una brigata di partigiani.

La difficoltà maggiore fu il fatto di non riuscire a scrivere, era una cosa che mi faceva saltare i nervi. Andavo in giro con questi fogli matite penne e tutto il resto, cercavo di tirarli fuori in un momento di silenzio e subito dovevo rificcarli dentro perché c'era qualcuno che vedeva un tedesco, dovevamo sparare o fare dei prigionieri.

Quel giorno ne prendemmo tre, li stanammo dalla casa all'altro lato della strada, davanti questa chiesa. All'inizio erano in sei, sparammo in testa ai primi due, e il terzo si beccò una coltellata dritto nella gola.

Laggiù succedevano cose che non pensavo fossero possibili, non so cosa mi aspettavo dalla guerra, pensavo sarebbe stata diversa. La verità invece è che hai paura di tutto, tanto del nemico quanto dei tuoi stessi compagni. Io non avrei mai pensato che McRoy potesse aprire la gola a qualcuno, e invece.

Comunque, dicevo, ne prendemmo tre. Mi toccò interrogarne uno.

Ci misero nella stanza dove li avevamo presi, che era l'unica integra della casa. Il tedesco, con le mani legate dietro la schiena, lo trovai seduto su una sedia di legno col sedile di paglia sfondato, al centro della stanza.

Ora non pensate che interrogare qualcuno per me fosse qualcosa di speciale, era il mio dovere in qualità di membro del controspionaggio. E fare parte del controspionaggio non era affatto male, perché la prima linea toccava sempre agli altri.

Insomma, me la giocai come al solito, all'inizio: gli offrii una delle mie sigarette. La fumò molto lentamente. Gli piacque molto, insomma, se l'era goduta.

Cominciai a chiedergli come si chiamava, lo dimenticai poco dopo, quanti anni avesse, se aveva famiglia e tutto il resto. Aveva venticinque anni anche lui, a casa l'aspettavano solo i suoi genitori.

Era straordinariamente tranquillo.

Cominciai a fargli le mie domande, per tagliarla corta. Non mi rispose mai. Ricominciai, ottenni lo stesso risultato. Chiamai il sergente Joseph Rabbit, cominciò a fargli lui le domande. Era un tipo di poche parole, il sergente Rabbit, e si spazientiva facilmente. Era del Connecticut, figlio di una famiglia di operai. Era grosso, indurito, fumava e bestemmiava di continuo.

Comunque niente da fare. Il tedesco era come se si considerasse già morto, le nostre minacce di ucciderlo e lasciarlo lì non gli cambiavano un bel niente.

Rabbit lo slegò, lo portò di sotto, lo condusse fuori dalla casa. Si fece dare una pala e la consegnò al tedesco. Gli ordinò di scavare una buca. Quello non batté ciglio e cominciò a scavare.

A quel punto di solito, quando la buca era abbastanza grande da metterci dentro una persona, lo si continuava a minacciare, gli dicevamo che l'avremmo seppellito vivo e cose così. Rabbit

64

invece puntò il suo M1 e gli fece un buco in testa. Il tedesco finì
nella buca e Rabbit ordinò che fosse ricoperta.

Ecco, anche di Rabbit, non avrei mai pensato che potesse
uccidere così un prigioniero.

Dopo l'accaduto avrei avuto voglia di scrivere per tutta la
notte.

Finora ero riuscito solo a fare stupidi disegnini come un ma-
ledetto moccioso delle elementari. Disegnavo Charlie Chaplin
e gli cancellavo la faccia.

Dopo due settimane io e il vecchio Herbert torniamo a casa.

Passo diversi mesi recluso nell'appartamento dei miei genitori a Park Avenue a scrivere di tutto, mentre continuo a farmi
maledire dalla redazione del «New Yorker» per la quantità di
materiale che invio ogni settimana, ma poi, finalmente, cede
e pubblica un mio racconto. Per me è un successo incredibile.
Nel frattempo faccio domanda per entrare alla scuola per
ufficiali dell'esercito.

È già estate, l'estate del 1941. Ho ventidue anni.

Odio il sole, il caldo, l'asfalto molliccio di New York. L'aria
è umida e pesante. Vorrei uscire di casa il meno possibile, ho
già programmato tutto. Continuerò a lavorare a quel racconto
lungo di cui vi ho parlato, che sta prendendo sempre di più
nelle mia mente la forma di una specie di romanzo.

Il giorno di cui voglio raccontarvi è un giorno insignifi-
cante come tutti gli altri, in cui mi stacco la canottiera dal
torace mentre siedo dietro la scrivania della mia stanza. Ma
è anche il giorno in cui ho conosciuto Oona.

Fatemi parlare un po' di lei.

Oona è figlia di Eugenie O'Neill, tanto per cominciare.
Non so se mi spiego. Ora non è che voglio scrivere la dannata

biografia di Oona, ma la sua infanzia è essenziale per capirla, quindi abbiate un po' di pazienza.

Diamo per assodato che essere figli d'un premio Nobel per la Letteratura non deve essere una cosa da niente. E questo è sicuro. Poi, consideriamo che il padre di Oona è un uomo incredibilmente freddo, distaccato. Lavora dodici ore al giorno e l'unica cosa che gli interessa veramente sono i suoi personaggi, gli interessano più della sua maledettissima figlia. I genitori di Oona hanno divorziato quando lei aveva solo quattro anni o giù di lì, Eugenie s'era trovato un'altra donna e non va mai a trovare sua moglie e sua figlia.

È cresciuta nel New Jersey, non smettendo mai di correre dietro a suo padre, e, non appena ha avuto i mezzi per farlo, ha cominciato a circondarsi di ragazzi più grandi, talvolta già uomini fatti, in sostituzione della figura paterna. Questo credo sia tutto.

Oona era cresciuta velocemente, divenne una ragazza viziata, superficiale, incredibilmente bella e intelligente.

Le cose fra noi sono iniziate così.

Quel giorno me ne sto a far niente dentro casa, appunto. Mi annoio terribilmente, questo sono sempre stato molto bravo a farlo: riesco ad annoiarmi a morte in qualsiasi contesto. Scrivo e basta. Le cicale da Central Park fanno un casino della malora che arriva fin dentro casa mia.

Per fortuna viene a stanarmi il vecchio Willy, un mio caro amico della scuola militare. È venuto in macchina, mi dice che sta andando nel New Jersey, a trovare sua sorella, mi chiede se mi va di accompagnarlo. Accetto. Mi piace l'idea di un viaggio in macchina, di stare con un amico, e, perché no, di incontrare sua sorella. Ve l'ho già detto che mi piacciono le ragazze. Ecco, avevo intenzione di fare un po' di cose prima di partire per la guerra. Una di queste era trovarmi una fidanzata e farci quelle cose che si fanno con le fidanzate, e magari la sorella del vecchio Willy si sarebbe rivelata adatta allo scopo. Infilo una camicia bianca e una giacca scura. So benissimo che morirò di caldo, ma accetto la cosa senza rimuginarci troppo.

Arriviamo a Brielle, un posto con i porti sul fiume, strade di campagna, staccionate e case bianche di legno con i patii alti e le zanzariere che sventolano fuori dalle finestre.

Parcheggiamo la Cadillac di suo padre davanti ad una di quelle case, ricordo ancora il sole bollente, le scalette di legno che scricchiolavano sotto i nostri piedi e l'attesa davanti alla porta d'ingresso. Mi sento agitato, sono sempre agitato davanti alle porte d'ingresso d'altri, non so perché.

«Ciao Willy», dice Elize, la sorella di Willy. Gli butta le braccia sulle spalle e lo bacia.

«Questo è J.D., puoi chiamarlo Jerry», dice Willy.

«Jerry come?» chiede Elize.

«Salinger. Piacere.» Le stringo la mano. Non è male, la vecchia Elize. Solo non è affatto il mio tipo. Più o meno bionda, alta sul metro e sessanta, esile, il viso gradevole e tutto il resto, ma non mi fa alcun effetto. È come se fosse anche mia sorella.

Entriamo, ci fa accomodare su un ampio divano bianco in salotto. I mobili sono pieni di cianfrusaglie tipo centrini, souvenir e roba del genere. Elize ci porta del tè al mirtillo che ha appena fatto. Mi brucio la lingua quando nella stanza entra Oona.

Non l'avevo mai vista una ragazza così bella. Ragazzina, anzi. Ha sedici anni. È mora, ha il viso di porcellana, lo sguardo languido, un po' come il mio.

Non è bella come sono belle tutte le altre ragazze: è bella a modo suo.

Porta una gonna scozzese lunga fino al ginocchio sotto una camicetta bianca. È fresca, luminosa, dentro quel salotto ha portato un vento che ci ha scompigliato tutti.

Saluta Willy. «Lei è Oona O'Neill. Lui è J.D., ma puoi chiamarlo Jerry», dice Elize, presentandoci.

Io mi alzo goffamente dal divano, cercando di sistemarmi la giacca, mi spolvero i pantaloni come se fossero pieni di briciole di biscotti, cosa che non è possibile, perché non abbiamo mangiato biscotti. Suppongo che sia stata la prima cosa che mi è venuta in mente di fare per nascondere il mio imbarazzo.

Quando mi alzo mi sento altissimo, troppo, mi sento di troppo in generale.

«Ciao Jerry», dice Oona. Le stringo la mano. Non so dire se per lei è stata una stretta così speciale come lo è stata per me.

Ci rimettiamo a sedere sul divano e a sorseggiare il nostro tè. Oona si è seduta dall'altra parte, vicino a Elize.

Cominciano a parlare di cose di ragazze di cui né io né il vecchio Willy sappiamo niente. E allora ce ne stiamo lì in silenzio a guardare per terra.

Oona si alza. Sposta l'aria con il suo corpo. Si mette a sedere di fianco a me. «E tu, Jerry? Cosa fai?»

Un rospo dentro la gola. Devo tossicchiare come un malato di tubercolosi, cercando di aprirmi la gola per far uscire la voce. «Io... sono uno scrittore.»

«Scrittore, J.?» dice Elize mentre porta via le nostre tazze vuote. «Lo sai chi è il padre di Oona?»

«Eugenie-O'-Neill», dice Oona come se intonasse una cantilena, scocciata. Evidentemente avevamo introdotto un argomento che l'annoiava o di cui non le andava tanto di parlare. Io mi limito a fare un cenno con la testa per far capire che ho capito, che so chi è Eugenie O'Neill, che ha vinto il Nobel per la Letteratura e tutto il resto.

«Cosa scrivi?» chiede Oona. Questa cosa dello scrittore mi sembra l'abbia interessata da subito, è una cosa di cui va bene parlare, o almeno così ho capito io.

Mi fissa, con quei suoi occhi scuri e tremolanti, di una vivacità di cui ho ancora esatta memoria.

«Racconti», dico, «ne ho pubblicato qualcuno su "Story" e su "Esquire". Sto lavorando a una storia più lunga.»

Lo ammetto, ho cercato di tirare un po' d'acqua al mio mulino, vantandomi per quanto ho potuto dei miei più importanti risultati letterari. Cerco di sorprenderla.

Lei fa cenno di sì con la testa, ma non è per niente sorpresa. Evidentemente conosce benissimo le riviste di cui sto parlando, forse molto meglio di me. Solo in quel momento capisco che il mio piano è del tutto fallimentare: volevo stupire la figlia di un premio Nobel per la Letteratura con le mie piccole pubblicazioni. Che razza di povero imbecille, penso.

Ma lei questo non l'ha pensato. Mi ascolta, mi sorride, ed è un vero piacere parlare con lei.

«Tu invece che fai?» le chiedo. Va a scuola, che altro deve fare. Di tanto in tanto viene a New York e va allo Stork Club, un famoso night club a Park Avenue.

«Ci ho conosciuto Orson Welles», mi dice ridendo. Io penso subito che ci sia stata insieme, che ci abbia combinato qualcosa. Neanche la conosco e già sono geloso di lei.

Il pomeriggio dalla vecchia Elize finisce. Io e Oona rimaniamo d'accordo che ci incontreremo domani, a Manhattan.

In macchina, insieme a Willy, fisso l'autostrada e capisco che diavolo intende la gente quando dice di essere innamorata.

Dopo una notte insonne, finalmente arriva domani.

Ragazzi, esco con Oona O'Neill. Una ragazza incredibilmente bella, e sveglia ed elegante. Devo pensare dove portarla, dove potrei fare bella figura. Ma dove diavolo si porta la figlia di un premio Nobel? Devo pensare a qualcosa che sia al suo livello, qualcosa che possa colpirla e tutto il resto. Io, con la vita mondana che faccio, al massimo potrei portarla al cinema, o al Metropolitan.

In dieci minuti passo in rassegna tutti i posti che conosco. Decido di portarla a Central Park.

L'appuntamento è al laghetto delle anatre (così l'ho sempre chiamato io, che volete) in Central Park South, per le cinque del pomeriggio.

Parto con leggero anticipo e arrivo alle sedici e un quarto. L'aria umida e appiccicosa di New York non ti fa respirare. Quasi mi manca quell'aria, adesso.

Comunque, rimango per un'ora seduto da solo a fissare le anatre, che spariscono e riappaiono sulla superficie argentata dell'acqua.

Ogni tanto una folata di vento mi viene a svegliare. Non so se in questo momento mi senta felice per conto mio, o solo per il fatto di uscire con una ragazza come Oona.

Lei arriva con una buona mezz'ora di ritardo. Io, vedendola arrivare, mi alzo, da galantuomo. Sotto la giacca sento la camicia appesantita dal mio sudore.

Oona indossa un vestitino verde svolazzante e un cappello di paglia. È fresca, bella, la guardano tutti. Io invece boccheggio sotto la mia giacca, dentro i miei pantaloni lunghi e scuri.

Allungo la mano per salutarla. Oona la ignora e mi bacia la guancia, come se fossimo due vecchi amici.

La invito a sedersi sulla panchina che ho occupato per un'ora e mezza. Aspetto che si accomodi, poi mi siedo anch'io.

Oona si spiega la parte inferiore del vestito sulle gambe bianche. Io attacco a parlare del tempo.

«Sì», risponde lei, «non fa così caldo nel New Jersey. È quest'aria di New York... mi sento tutti i capelli appiccicaticci per l'umidità.» Si toglie il cappello e agita i capelli all'aria, liberando una buona quantità di profumo.

Non so che altro dire. Dopo il clima ho esaurito gli argomenti.

«Sono belle, vero?»

«Che cosa?»

«Le anatre. Le hai viste?»

«Sì. Molto belle.»

E questa è stata la nostra prima conversazione. Il tempo e le anatre.

Sto per impazzire. Cerco disperatamente qualcosa di cui parlare. Per fortuna è Oona a salvarmi.

«Com'è che fai lo scrittore? Da dove è partita questa cosa?» mi chiede. Ha un qualche tipo di rossetto così forte che non riesco a non guardarle le labbra mentre articolano le parole. Forse è il contrasto con la pelle del viso, così chiara. Ha le sopracciglia molto sottili, perfette, credo sia uno dei visi più belli che abbia mai visto.

Comunque, mi decido a rispondere.

«Non saprei. Ho iniziato a scrivere racconti quando avevo diciassette anni, e da lì non ho più smesso. Ho frequentato un corso alla Columbia, sai, un corso di scrittura creativa, è stato molto interessante, ma non so se lo rifarei.»

Oona mi chiede di nuovo dove fossero pubblicati i miei racconti. Glielo dico, leggermente fiero di me. È fin troppo chiaro che le piace da matti il fatto che sia uno scrittore, non c'è niente da fare. La cosa non mi meraviglia poi più di tanto, visto di chi è figlia.

Infatti dopo poco tempo attacco a chiederle di suo padre. «Com'è? Come si comporta? Come lavora?»

Sono terribilmente indiscreto. Non considero per niente l'impressione che Oona non abbia alcuna voglia di parlare di suo padre, ma non l'ho fatto volontariamente. Lei comunque si adombra e comincia a parlare spostando lo sguardo da me verso il lago.

«Mio padre non c'era mai. Se n'è andato via quando avevo quattro anni. Certo, non ci faceva mai mancare i soldi, ma ci faceva mancare la sua presenza, che valeva molto di più. Ricordo che quando ero piccola lui stava chiuso tutto il giorno nel suo studio e non usciva mai. Potevo piangere, urlare, strapparmi i capelli, potevo farmi male, e lui non sarebbe mai uscito da lì. Quando correvo nel suo studio si metteva a urlare perché l'avevo interrotto nel suo lavoro, si arrabbiava da morire, non so, ti dava la colpa di avergli rovinato la giornata e ti faceva capire che ti odiava, in quel momento. Ti dava la colpa di averlo distratto. Non sorrideva mai, mio padre, è sempre stato severo pur non avendo mai contribuito alla mia educazione.»

«Non lo vedi mai?» le chiedo. Non riesco a vederle gli occhi, ma secondo me si è commossa o qualcosa del genere.

«No, leggo sui giornali quello che gli succede, quello che fa, e basta. Ogni tanto ci scrive una lettera. Mi manca molto. È un genio intrattabile, uno che non avrebbe mai dovuto fare il padre. Non gl'importava niente di noi», dice.

Io ascolto, affascinato e terrorizzato da suo padre. Mi ci identifico, non so perché. Anch'io mi ritengo un genio intrattabile. Credo mi piaccia considerarmi tale.

Penso sarebbe carino metterle una mano sulle spalle. Lo faccio. Lei sorride, ma non si volta, suppongo vada bene lo stesso. Mi chiede anche lei dei miei genitori. Mi ritrovo in un attimo a parlare di mia madre e mio padre, della mia infanzia e tutto il resto, mentre mi rendo conto io stesso di non essere per niente interessante, che la mia è una storia tranquilla e borghese, agiata e noiosa. Quella di Oona è decisamente più avvincente.

C'è un momento di silenzio. Per essere il primo fra noi non è poi tanto imbarazzante. Le cose possono essere solo due: o la bacio o dico un'altra stupidaggine.

«Secondo te dove vanno a finire le anatre quando il lago gela, d'inverno?» è la prima cosa che mi viene in mente.

Oona comincia a ridere, si porta tutte e due le mani alla bocca.

È stato meraviglioso farla ridere per la prima volta.

3

Foresta di Hürtgen, confine fra Germania e Belgio,
novembre 1944

Non si vedeva il cielo. Alzai la testa e vidi solo rami incendiati, fumo, aghi. La foresta era così fitta che non ti faceva vedere a due metri dal tuo naso.

Non ero mai stato in un luogo così terribile, e non avevo mai provato tanta paura. Sembrava che qualcuno ci avesse chiuso dentro una scatola nera piena di fango e schegge di legno, qualcuno che conosceva le mie più recondite paure e le aveva rese reali in un solo colpo.

Potevi rimanere incastrato nel filo spinato, strapparti la carne, pestare una mina e far saltare in aria almeno cinque o sei dei tuoi compagni.

I tedeschi erano davanti a noi, a pochi metri di distanza. Tutti i giorni facevamo un passo avanti e tre indietro. Non riuscivamo ad avanzare da un albero all'altro. I tedeschi tiravano le 88mm sugli alberi e i rami e le schegge di metallo ci cadevano addosso tagliandoci le braccia e bucandoci gli elmetti. Nemmeno il cielo stavolta ci poteva salvare.

Della nostra IV^a divisione eravamo rimasti in pochi, c'erano solo nuove reclute, gente di cui non sapevi nemmeno se fidarti o no. Piangevano, sparavano a caso, si facevano ammazzare. I tedeschi non arretravano di un metro e lasciavano i nostri feriti in mezzo, nella terra di nessuno. Ci impedivano di riportarli indietro, mettevano delle mine sotto le loro schiene e aspettavano che i nostri medici andassero a prenderli, così saltavano tutti in aria.

Non ricordavo nemmeno il nome dei nuovi, ricordavo solo quello dei morti, che ti rimangono in mente molto di più dei vivi.

Fortunato chi perdeva un braccio, o una gamba. McRoy se n'era tornato a casa con la gamba strappata da sotto il ginocchio. Una granata caduta fra un mucchio di foglie, impossibile da vedere.

Le schegge di legno e gli aghi di pino volavano come proiettili e ti perforavano le cornee.

Avevo una paura continua che un tedesco sbucasse dagli alberi e mi infilasse un coltello nella schiena, avevo paura che i miei compagni mi lasciassero isolato.

Una granata mi esplose sopra la testa e mi buttai a terra per evitare di essere colpito dalle schegge. Il legno bruciato mi stracciò i pantaloni della divisa. Ero ancora vivo, ma non per questo contento.

I tedeschi piazzavano il fuoco incrociato delle mitragliatrici sulle vie di passaggio, e falciavano i nostri soldati mirando alle gambe e ai genitali, in modo di far passare la voglia agli altri di attraversare quel punto. Dovevamo nasconderci dietro i tronchi, abbracciarli per non farci colpire.

Certe volte mi veniva voglia di buttarmi a terra e fingermi morto. Ma non ci riuscivo, avevo troppa paura di essere colpito. E la paura era l'unica cosa rimasta a farci sentire sani di mente.

Proprio il giorno prima avevamo scoperto due tedeschi dentro una buca, e gli avevamo mitragliato le teste senza neanche farli uscire.

Stavamo morendo a migliaia. Ma non volevano farcelo sapere, la cosa ci avrebbe demoralizzato troppo. Non sapevo se sarei mai tornato a casa.

Il giorno finì, ed era tempo di raccogliere i cadaveri e i feriti che potevamo raggiungere. Io ero di guardia, il che voleva dire che mi toccava dormire in una trincea piena di fango. Avevo i calzini e le mutande bagnate, battevo i denti dal freddo, non mi lavavo da qualche settimana.

Non avrei saputo dire se era peggio il giorno o la notte, in quella dannata foresta. Il giorno si combatteva, e potevi morire da un momento all'altro. Ma la notte rimanevi solo con te stesso, dovevi pensare, regolavi il conto coi tuoi demoni. Se la notte era troppo tranquilla avevi di nuovo paura del giorno che doveva arrivare, se invece la notte non era tranquilla per niente avevi paura di un attacco notturno, di addormentarti, di affogare nel fango. Questa foresta ti faceva dimenticare in fretta di quello che eri prima della guerra, della tua città, della tua casa o dei tuoi genitori. Avevo paura e tremavo continuamente. Mi accucciai, potei solo provare a dormire.

Usciamo ancora insieme, io e Oona. Cominciamo a vederci tutti i giorni. Andiamo al cinema, passeggiamo per Time Square e cose così.

Un pomeriggio la prendo per mano, fuori dal cinema, e da quel momento cominciamo a fare tutto tenendoci per mano. Non so perché. Ancora non l'ho baciata, ancora non si sa in che tipo di rapporto andremo a finire, ma ci viene così naturale, qualsiasi cosa facciamo, ovunque andiamo. E tenere la mano a Oona non è una cosa comune, perché magari ti capita di stare mano nella mano con una ragazza e quella dopo un po' si mette a smuoverla avanti e indietro, la agita pensando di annoiarti o annoiandosi lei stessa. Con Oona invece questo non succede, noi possiamo vedere un film intero al cinema o camminare per tutta Park Avenue senza staccarci mai, e nessuno dei due si preoccupa se per caso abbiamo le mani sudate. Tenerci per mano ci sembra la cosa più ovvia che possiamo fare. Sappiamo solo di sentirci felici, che forse lo siamo davvero.

Torniamo spesso a Central Park. Un giorno ci capita di ritrovarci nel bel mezzo di uno di quei temporali estivi che scatenano l'inferno in un quarto d'ora. Ci prendiamo per mano e ci infiliamo di corsa dentro il Metropolitan, completamente fradici dalla testa ai piedi. Oona ha i capelli che sgocciolano per tutto il museo e dalla camicetta le si intravede il reggiseno. Le guardie giurate si scambiano occhiate. Io mi infilo le dita fra i capelli e me li scompiglio. Sorrido come un idiota. Capisco in quell'istante, dentro l'ingresso fresco del Metropolitan, quanto sia stupenda e quanto sia bello fare qualsiasi cosa insieme a lei, anche stare sotto un temporale. Questa cosa avrei potuto farla solo con lei, su questo non c'è il minimo dubbio.

La bacio per la prima volta in un pomeriggio di fine estate, dopo aver tirato da mangiare alle anatre del lago per un buon quarto d'ora. Poi ci sediamo accaldati sulla nostra panchina, e ci abbracciamo.

Siamo al centro di ogni cosa. Tutto il resto succede intorno, non è altro che la nostra cornice. I bambini, i ciclisti, le altre coppie che hanno appena fatto un picnic, il canto invasivo delle cicale.

«Un giorno scriverò di questo lago, Oona. Scriverò anche di queste anatre, avranno un posto importante in una storia», le dico, durante uno dei nostri pomeriggi.

Lei, seduta accanto a me, poggia la testa sulla mia spalla. Mi accarezza un braccio. «Diventerai grande. Me lo sento. La conosci tutta la storia sull'intuito femminile no?»

«Potresti benissimo essere un'eccezione.»

Mi dà uno schiaffetto sulla guancia. Poi me la bacia. «È bellissimo non fare niente insieme. Vorrei stare sempre così, stare su questa panchina su questo lago con le anatre dentro. Per sempre, non sarebbe stupendo?»

Le bacio la testa. Sono così contento di lei e della sua vicinanza da sentirmi un impostore, ho il sospetto di essermi impossessato di tutta quella felicità senza meritarla veramente.

Siamo due persone entusiaste di conoscersi, di scoprirsi, pur non avendo nessuno dei due ancora piena coscienza di sé. Io, nelle nostre conversazioni, non ho granché da dire, se non si parla delle mie aspirazioni letterarie. Diciamo che preferisco ascoltarla, l'ascolterei parlare per ore.

«Jerry?» Oona indossa una camicetta a maniche corte, una gonna azzurra lunga fino alle ginocchia.

«Sì?» rispondo. Fisso in lontananza un ragazzino seduto contro un tronco, legge un libro. Indossa uno strano cappello da caccia col paraorecchie, nonostante faccia così caldo.

«Io credo di amarti.»

L'amo anch'io. Glielo dico. Credo di averla amata da sempre, in qualche modo. Solo non avrei mai trovato il coraggio di dirglielo per primo.

La bacio in un momento di silenzio, uno di quei silenzi che spesso accompagnano momenti così importanti. La bellezza e la perfezione di quel silenzio mi aiutano nella faccenda, e non so se sono io a tremare o lei, o tutti e due. Lei ha le

77

labbra morbide, il viso liscio, il collo profumato. Il cuore mi batte così forte che ho paura che lo senta tutto Central Park.

Mentre torniamo a casa le nostre mani si stringono come se volessimo fonderle l'una con l'altra. Da quel pomeriggio, se penso alla felicità penso ad Oona, alla nostra panchina e alle nostre anatre.

Siamo fidanzati, è una cosa ufficiale. Io continuo inspiegabilmente a soffrire di una certa sindrome sconosciuta per la quale mi sento sempre inadeguato nei confronti di Oona: continuo a chiedermi come faccia una ragazza bella e così intelligente a stare con me.

La mia scrittura nel frattempo ha risentito non so bene di cosa, ma è rallentata molto. Mi sono prefissato di finirla coi racconti brevi e di finire il mio racconto lungo. Insomma, non ne posso più di quelle storie monche con la scritta fine dopo due pagine. Questa cosa mi sfinisce, mi sento esausto del mio modo di scrivere.

Comunque, con Oona cominciamo a vederci anche la sera. Andiamo a teatro, a cena, mi porta finalmente allo Stork Club.

Lo Stork Club è il locale più in voga di New York. È frequentato da stelle del cinema, politici, persino dalle teste coronate d'Europa. È allo Stork che il principe Ranieri ha corteggiato Grace Kelly. È impossibile non sapere chi lo frequenta ogni sera, perché le foto scattate allo Stork finiscono sempre sul giornale.

Lì conosco le sue amiche Gloria Vanderbilt e Carol Marcus, frivole e superficiali, non hanno nulla a che fare con lei e la sua raffinata intelligenza. L'unica cosa a cui sono interessate è trovare un uomo ricco e farsi sposare, ecco tutta la storia.

Quello dello Stork Club è un mondo in cui Oona si trova perfettamente a suo agio, forse perché è sempre stata abituata a un certo tipo di ambiente. La mondanità, l'essere visti, giudicati, il dare una certa importanza a come presentarsi. Scopro in poco tempo un altro lato di Oona che non avevo considerato: è viziata, nel senso che vuole che la si accontenti sempre e, talvolta, riesce a essere di una superficialità spaventosa, come se il suo unico obiettivo nella vita sia trovare il vestito giusto o la collana d'argento più adatta per la serata e farsi ammirare dagli uomini.

Appena Oona mette piede nel locale non manca mai un fotografo o un cronista di qualche giornale. I fotografi la ritraggono sempre con un bicchiere di latte, visto che non ha ancora l'età per bere alcolici.

Io di solito me ne sto in disparte, angosciato da tutta quell'attenzione che le riservano. Ovviamente non ho occhi se non per lei, e non mi sono mai sentito così morbosamente attratto da qualcuno.

Capitarono anche un paio di volte in cui appena entrata allo Stork si dimenticasse completamente di me per stare con le sue amiche. La cosa mi infastidì molto.

In realtà mi sembra che lo stesso Stork Club la inviti sempre perché ci guadagni nell'averla sempre lì intorno. Insomma, la figlia dell'unico drammaturgo americano ad aver vinto il premio Nobel che frequenta lo Stork Club!

Questa cosa mi sembra una mancanza di rispetto, e glielo dico spesso: abbiamo litigato la prima volta proprio per questo motivo. La infastidiva molto, ma io insistevo perché sapevo di avere ragione. Lo stesso faceva lei, ovviamente.

«E lì ho conosciuto Orson Welles. Un malandrino», mi dice una di quelle sere mentre sediamo a un tavolo del locale, indicando con un movimento in avanti del viso un divano bianco oltre i tavoli, in fondo al locale, una sorta di privè. «Mi ha letto la mano, sai?»

Lì per lì decido di ignorare il fatto che me l'avesse detto già. Di certo però non mi aveva detto della storia della mano.

«Ah sì?» le dico. Non m'importa di Orson Welles. Mi basta sapere che le ha letto la mano per capire che razza di maiale fosse. Vorrei sapere cosa le ha letto ma tengo la domanda per me, fingendomi poco interessato alla cosa. La verità è che tutti gli uomini di questo dannato locale vorrebbero portarsela a letto, non ci sono dubbi.

Sto diventando di una gelosia ossessiva. Lo riconosco. In realtà non so dire con precisione se stia diventando geloso o se lo sia sempre stato.

Penso solo che, prima o poi, Oona si stancherà di quel night di apparenze e la smetteremo di andarci tutte le sere, e la smetterà anche di amare la vita mondana che da sempre l'ha viziata e coccolata. Prima o poi succederà, ne sono più che sicuro.

Il problema è che, almeno fino a questo momento, Oona sta facendo di tutto per affermarsi. E non perché abbia bisogno di soldi, figuriamoci. Quello che le interessa è affermarsi intellettualmente nell'alta società. Sospetto che c'entri qualcosa suo padre. Ha intenzione di fargli vedere che anche lei può avere un ruolo nell'élite culturale americana, vuole superarlo, batterlo.

Sospetto di rientrarci anch'io, in tutto questo, e finalmente mi spiego anche come mai Oona sia così attratta dal mio lavoro.

Perciò, ormai quasi tutte le sere le passiamo allo Stork, e Oona è l'oggetto del desiderio di cronisti, fotografi, attori, registi, produttori, camerieri, inservienti, e io lì nel mio angolo, da solo, a pensare: le ragazze. Hanno il potere di farti impazzire. Ce l'hanno proprio.

4

Un anno dopo Oona finisce su tutti i giornali come debuttante dell'anno, insieme a una sua foto scattata allo Stork in cui indossa un vestito nero e una collana d'argento, manicotti neri e un grosso cappello. Tiene in braccio un mazzo gigante di fiori come un neonato.

Quella cosa ha fatto molto infuriare me, in qualità di fidanzato, e il vecchio Eugenie, in qualità di padre, che non tollerava affatto che sua figlia finisse sulle riviste di gossip come una divetta qualsiasi. Oona ha quindi scatenato in un colpo solo l'ira di due uomini duri e rancorosi.

Litighiamo. Facciamo pace. Scopro che fare la pace dopo una discussione è uno fra i momenti più belli di un rapporto tra un uomo e una donna. È come andare in chiesa e confessare i propri peccati: ti senti più leggero.

Comunque, continuo ad accompagnare Oona allo Stork, anche adesso che l'attenzione su di lei si è quadruplicata. Chiunque, anche l'ultimo dei registi vuole offrirle una parte in un film, in una pubblicità, le chiede di posare per qualche prodotto sconosciuto.

Io, sempre accanto a lei, la distolgo da certe tentazioni, ed elaboro il mio piano: ho intenzione di chiederle di sposarmi.

Non mi sembra una cosa affrettata. Glielo chiederò sulla nostra panchina a Central Park. Mi inginocchierò. Lei aggrotterà le sopracciglia. Io tirerò fuori l'anello dalla tasca e pronuncerò la frase. Lei si porterà le mani alla bocca, impedendosi di urlare, e dirà di sì, abbracciandomi, baciandomi e tutto il resto. Ecco, questo è il piano.

La primavera di quello stesso anno, è l'aprile del '42, arriva spietata, e spazza via tutte le mie aspirazioni nei confronti di

Oona. Smetto allo stesso tempo di essere tranquillo. Vengo richiamato dall'esercito, mi arruolano definitivamente. Presto mi spediranno a Fort Dix, New Jersey. Non so ancora che grado mi assegneranno. In un certo senso sento già che la mia domanda per la scuola per allievi ufficiali andrà presto a farsi benedire.

Neanche è cominciata e già ho paura.

Io e Oona torniamo a Central Park per l'ultima volta prima della guerra. Ci sediamo sulla nostra panchina, quella che nel mio piano era destinata alla mia dichiarazione.

Io sono più taciturno del solito, mi sento inquieto, spaventato dal futuro, e la luce che di solito Oona proietta non sembra sufficiente a far sparire le mie preoccupazioni.

Ci baciamo a lungo, in silenzio. Siamo due innamorati costretti a separarci, la trama più scontata del mondo, eppure è proprio così.

«Ti ricordi quando mi hai detto che avresti voluto rimanere per sempre qui con me, su questa panchina, davanti a queste anatre? Eravamo qui, te lo ricordi?»

«Certo che sì», dice lei.

Le bacio i capelli. Sono morbidi e profumati sotto la mia bocca.

«Non voglio partire. Voglio rimanere insieme a te.» Glielo dico mentre le bacio gli occhi, cosicché non possa vedere i miei, che stanno diventando umidi.

«Ti ho portato una cosa», dice. Infila la mano dentro la borsetta e cerca qualcosa. Tira fuori una sua fotografia.

«Questa è per te. Così puoi metterla nell'armadietto. Così non potrai dimenticarmi.»

Le rispondo che sarebbe impossibile, foto o non foto, non potrei mai scordarmi di lei, nemmeno per un secondo.

La saluto con un bacio e una carezza. Sento dentro un

miscuglio denso e potente di sensazioni inqualificabili, mai provate prima. È un cocktail di tristezza profonda ed euforia, di ardore e depressione. Riesco a focalizzare solo una cosa: tornerò dalla guerra per sposare Oona.

5

A Fort Dix trovo un ambiente arido e duro, come i miei compagni. Tutto sembra prepararci alla guerra, ci stanno cambiando il modo di vivere che avevamo avuto fino a poco prima di cominciare l'addestramento. Dormo in una tenda e mi alzo tutti i giorni alle cinque di mattina. Sono diventato l'insegnante d'inglese del campo.

Penso a Oona tutti i giorni, guardo la sua foto, le scrivo lettere lunghissime. Quella è una cosa di cui non posso fare a meno. È inutile dirvi che Oona è il mio unico pensiero felice. Lei e i miei racconti, quando riesco a scriverli.

Sopravvivo leggendo riviste e il «New Yorker», che mi faccio spedire settimanalmente. Sorveglio attentamente le pagine, per tenere d'occhio le nuove firme degli scrittori esordienti che pubblicano. Controllo chi siano, se sono più giovani di me, che istruzione hanno avuto. Leggo e leggo, aspettando con ansia che qualcuno della redazione del «New Yorker» mi accetti un maledettissimo racconto. La maggior parte del mio tempo però la spendo scrivendo lettere ad Oona.

Mia cara Oona,
mi manchi e ti penso. Non puoi immaginare quanto piacere mi dia il solo fatto di scriverti queste lettere, e il pensiero che le leggerai. Forse puoi immaginarlo, ma non puoi sapere per certo il valore che ha qui, dentro questa caserma verde

e diroccata. Non sai il piacere di ricevere le tue risposte e aprire la busta con il mio solito affanno, tagliandomi le dita con la carta.

Ti penso tutti i giorni e mostro la tua fotografia ai miei compagni, loro mi fanno vedere quelle delle loro fidanzate e così via. Pensano tutti che sia molto fortunato ad avere una ragazza così bella, mi sembra giusto.

Ti starai chiedendo cos'ho fatto oggi, di che mi sono occupato, se sto bene o sto male. Non sto né bene né male, in realtà, sono solo molto stanco, così tanto da non riuscire a capire che cosa mi passa per la testa.

Oggi, dopo la lezione di inglese, ci hanno riunito dentro una stanza nel campo A e ci hanno illustrato alcune operazioni. C'era il colonnello che con la bacchetta indicava alcuni punti sulla cartina geografica della Francia.

Io e il mio reggimento sbarcheremo lì, amore mio. È una cosa spaventosa e tremendamente bella. Io e la mia squadra di Controspionaggio accompagneremo le azioni militari della IV^a divisione fanteria. Non è incredibile?

Ecco, questo non ti avevo detto. Vista la mia conoscenza del tedesco, che ho maturato accompagnando mio padre in Austria, quando ancora credeva che avrei fatto il suo stesso mestiere, che avrei seguito le sue anonime orme, sono stato assegnato al Controspionaggio. Dovrò interrogare i prigionieri di guerra. Mi faranno studiare le strategie dell'interrogatorio, la psicologia del prigioniero.

La particolarità di quei tedeschi sembra essere la loro completa assenza di paura nei confronti della morte. Pare siano talmente indottrinati e devoti al Reich che, una volta catturati, le minacce di morte o le ferite non gli provocano niente, e riescono a morire di botte senza dirti un bel niente. Credo di non provare niente di particolare nei confronti dei nazisti, malgrado qui sia pieno di gente a cui piacerebbe molto averne uno fra le mani adesso, e sfogarci tutte le sue frustrazioni. Ci dicono che i nazisti sono il male, sono i cattivi, e vanno uccisi. Ma cattivo può essere anche il lattaio del tuo quartiere. E tu lo uccideresti, il lattaio del tuo quartiere?

Mia cara Oona, mi manca da morire la nostra panchina a Central Park. Non sai quante volte ci torno, col pensiero, e ogni volta mi sento felice, anche se solo per qualche minuto. Vorrei che prendessi le tue cose e venissi qui da me. O che mi dessero due settimane di congedo e ti raggiungessi io, e ricominciassimo a vederci tutti i giorni. Non vedo l'ora di poterlo fare.

Ah, c'è questa tizia, una certa Marjorie Sheard, che mi scrive in continuazione. Ha letto i miei racconti su «Esquire» e «Collier's» e vuole conoscermi, mi chiede consigli sulla scrittura, su quali libri leggere e cose del genere. Vuole fare la scrittrice. Io le ho detto che non ci si comprano certo le Cadillac con la scrittura, ma non credo sia bastato a dissuaderla dalla sua aspirazione. Le ho consigliato *Anna Karenina* e *Il Grande Gatsby*. Che ne pensi?

Le ho inviato un nuovo racconto che ho proposto al «New Yorker», tratto dal protagonista del mio romanzo, quel giovane studente strampalato e perdigiorno. Vediamo che succederà. Tu cosa fai? Di che ti stai occupando? La scuola di recitazione? Mi manchi molto. Ti abbraccio.

Con amore,

Jerry

Dopo qualche giorno arriva puntuale la risposta di Oona, battuta a macchina sulla carta impregnata del suo profumo.

Caro Jerry,

mi manchi molto anche tu. Sono contenta di te e di tutto quello che stai facendo, ma trova il tempo per riposare. Dunque, ci sono alcune novità: ho lasciato la scuola di recitazione qui nel New Jersey (non faceva per me, te lo giuro, non imparavo un accidenti e odiavo tutti i professori che nutrivano sempre troppi pregiudizi nei miei confronti), e mi è arrivata una proposta interessante: c'è la possibilità di studiare recitazione a Hollywood, e nel frattempo mettere insieme un po' di soldi facendo alcune pubblicità. Per ora mi hanno richiesta per cosmetici, saponette e cose del genere. Dovrei trasferirmi lì, trovarmi una casa, studiare e lavorare. Ti sembra un buon piano? Che ne pensi? Non essere affrettato, nel tuo giudizio: sappi che sarà una buona scusa per avvicinarmi alla casa di mio padre, per passare un po' di tempo insieme a lui. Che ne dici? Ti bacio.

Oona

Questa corrispondenza si ripete tutte le settimane. Oona non riesce a rispondere proprio a tutte le mie lettere, sono troppe. Posso dire che scriverle e aspettare la sua risposta sia la cosa più bella del campo.

Andiamo avanti così per mesi. Lei si trasferisce definitivamente a Hollywood, malgrado io non sia del tutto convinto, ma comunque cerco di sforzarmi a non ostacolarla. Nel frattempo cambio campo, mi trasferiscono in Georgia, poi nel Tennessee, e in nessuno di questi campi riesco a farmi degli amici. Mi sento un intruso, una specie di organo malandato in un corpo sano. Io, che scrivo racconti dall'età di diciassette anni, vengo visto dai miei compagni come l'intellettuale taciturno che snocciola commenti ironici sulle situazioni e osserva le cose dall'alto. Finalmente, se non altro, mi comunicano che con la scuola per allievi ufficiali ho chiuso: sono stato rifiutato. In ogni campo d'addestramento che lascio mi sembra di perdere un pezzettino di me.

Maggiore è la distanza da Oona, più numerose sono le lettere che le spedisco. Poi, d'un tratto, le sue risposte non arrivano più.

Deve trattarsi di un qualche problema con la nostra posta, deve esserci qualche tipo d'impiccio burocratico. Probabilmente le mie lettere non le arrivano affatto. Povera Oona, chissà cosa penserà di me, penserà che me la stia spassando con la figlia di qualche dannata famiglia di contadini del sud della Georgia.

Eppure i miei compagni spediscono e ricevono lettere tutti i giorni. Com'è possibile?

Le scrivo ancora e ancora.

Mia cara Oona,
dove sei? Perché non rispondi più alle mie lettere? Ti sono arrivate? Forse hai cambiato indirizzo e hai dimenticato di comunicarmelo? Se fosse così ti prego di comunicarmelo. Non mi arrabbierei, te lo prometto, anzi, faresti di me l'uomo più felice del mondo, te lo giuro, non sai quello che mi passa per la testa in questi giorni, non te lo immagini neppure.
Ho pensato che stessi male, che ti avessero rapito, che fossi morta. È così. Sono le mie stesse fantasie a preoccuparmi, come succede ai matti.
Sto diventando paranoico. Mi sembra che i miei commilitoni ridano di me, si divertano guardandomi soffrire nell'attesa di una tua risposta. Sembra che sappiano qualcosa che io non so, e che questa cosa li diverta da morire. Hai visto, Oona, come sono ridotto senza di te?

È abbastanza chiaro che non posso sopravvivere qui dentro senza le tue lettere. Mi è assolutamente impossibile. Ma dove sei finita?

Mi farò dare due settimane di congedo, amore mio. Verrò a Hollywood e ti sposerò. Lo farò, lì, davanti a tuo padre se vuoi. Ti prometto che lo farò, se solo mi rispondi e mi fai sapere che stai bene. Non devi scrivermi chissà cosa. A me basta sapere che sei viva.

Sei arrabbiata? Ti ho mancato di rispetto in qualche modo? Se fosse così mi dispiace. Qualsiasi cosa io possa averti combinato. Forse non avrei dovuto dirti di quella dannata Marjorie Sheard che continua a tormentarmi con le sue lettere? Sei gelosa, forse? Mia dolce Oona, io non voglio altre donne, io non penso a nessuno, non vorrò mai nessuno se non te, e non c'è Marjorie Sheard che possa distrarmi da te. Non preoccuparti, piccola mia, io non potrei mai abbandonarti per qualcun'altra, questo è totalmente escluso. Potrei abbandonarti solo se morissi, ma in questo caso non avrei altre opzioni, non è vero?

Vorrei abbracciarti e dirti che va tutto bene, sentirti ridere e guardare il tuo naso arricciarsi.

Ti prego, non farmi questo. Io non so più cosa fare per attirare la tua attenzione. Sei tutto per me, non puoi comportarti così, non penso sia una cosa da farsi, sei sleale.

Oona, adesso basta, mi sono stancato. Se non mi risponderai entro tre giorni sarà tutto finito tra noi, e non tornerò mai indietro. C'è quella Marjorie Sheard che continua a chiedere di me, sai? Vuole mandarmi delle sue foto e ha chiesto come sono fatto. Ti piace la cosa?

Perdonami per tutte le stupidaggini che ho scritto. Non le cancellerò, solo per farti vedere fino a che punto sono arrivato. Non mi sento più padrone di me, ed è una bruttissima sensazione. Ti prego, amore, torna da me. Rispondimi, se hai voglia. Mandami un segnale, fai qualcosa. Ti aspetto.

Per sempre tuo,

Jerry

6

Passa un'altra settimana. Comincio a infuriarmi tremendamente.

Oona,

adesso basta. Sono veramente stanco. È troppo tardi per qualsiasi cosa. Se non risponderai neanche a questa lettera, giuro che sarà l'ultima che ti scriverò. Non credere che mi spaventi, questo tuo atteggiamento.

Che stai facendo a Hollywood? Sto impazzendo per colpa tua. Mi stai facendo del male. Non è corretto, non è il modo di comportarsi.

Starai facendo le tue pubblicità, i tuoi spot per qualche stupido articolo da bagno?

Ti prego Oona, io senza di te non riesco neanche a pensare. Aiutami, ti prego. Fatti sentire, scrivimi, parlami. Ti prego.

Per sempre tuo,

Jerry

In quei giorni il mio carattere cambia terribilmente. Mi indurisco, come se fino a questo momento non sia stato altro che un ammasso di cera bollente.

Comincio a non parlare più, anche se questa non è poi tanto una novità, a diventare scontroso senza motivo, per lo stupore dei miei compagni, che fino ad ora mi hanno sempre visto come una specie di docile animaletto innocuo e taciturno che non darebbe problemi a nessuno.

Ogni volta che mi portano la posta, io mi ci fiondo sopra come una bestia affamata su una grassa carcassa, volto tutte le lettere e col cuore dentro le orecchie cerco il nome di Oona.

Niente da fare.

Non mi riesce più di dormire la notte. Mi addormento due ore prima della sveglia, perché il mio corpo si spegne autonomamente, come una maledetta macchina. Sono arrabbiato, depresso, mi sembra di non riuscire a respirare bene da sdraiato. Non so cosa sta succedendo e questa cosa mi fa diventare matto.

La notte è il momento peggiore, mi costringe a pensare. Mi ritrovo a piagnucolare in silenzio sdraiato sulla mia brandina, a mordermi il labbro per la rabbia.

Il fatto di non capire che diavolo succede è la cosa più brutta della faccenda, è il motivo per cui mi sento disperato.

Questa è la prima volta nella mia vita in cui non mi sento del tutto padrone di me stesso, come se il mio equilibrio mentale ed emotivo appartenga o dipenda da qualcun altro. In questo caso da Oona.

Sono arrivato al limite delle mie forze, non sopporto più l'addestramento.

7

Cara Marjorie,
in risposta alle tue numerose domande, posso soltanto dirti questo: fare lo scrittore di mestiere è la cosa peggiore che possa capitarti. Dico sul serio. Sarai continuamente in lotta con te

stessa, e finirai allo stesso tempo per diventare schiava di te stessa. Ecco, credo che bisognerebbe smetterla di vedere le cose per luoghi comuni, e cominciare a vederle per quello che sono. La si dovrebbe smettere con questa smania che hanno tutti di scrivere. Basta. Fare lo scrittore è una vocazione che non ha proprio niente di affascinante. È un mestiere artigianale come un altro. Non esiste alcuna ispirazione, non c'è musa, dea, fascio di luce che scenda dal cielo ad accenderti la mente. Sei solo tu e il tuo lavoro, e tutto il resto è mera velleità. Niente di più.

Tu dipenderai dalle ore che passi seduta dietro un tavolo a scrivere le tue idiozie. E, bada bene, saranno sempre idiozie, questa cosa non cambierà col tempo, ma cambierà il modo in cui le scriverai: sarà molto più furbo ed elegante. Puoi ritenerti fortunata se otterrai questo risultato.

Ho letto le tue cose, Marjorie, sarò sincero: non vedo una scrittrice dentro di te. Vedo più un'accanita, passionale, pregevole lettrice, ma non hai niente di tuo. Tutto quello che scrivi sembra che tu lo scriva per compiacere te stessa. Non vuoi stupire, incuriosire, non ti interessa.

Marjorie, ti prego di dar poco peso alle mie parole. Potrebbe darsi che, se insisti, arriverai a pubblicare qualcosa di tuo e domani sarai su tutti i giornali, idolatrata come la nuova Virginia Woolf.

Ti prego, non starmi a sentire troppo.

I miei migliori auguri.

P.S.: Hai letto *Anna Karenina*?

J.D. Salinger

Liquido in questo modo la vecchia Marjorie Sheard, che continua a propormi suoi lavori e a chiedermi consigli sulla scrittura, come se potessi dargliene.

Vado all'ufficio postale, spedisco la lettera e ritiro la mia posta. C'è la solita busta di mia madre, un pacco con i calzini fatti da lei che mi manda ogni mese, e l'ultimo numero del «New Yorker».

Vado a sdraiarmi sulla mia branda, per godermelo al meglio.

In questi giorni ho smesso del tutto di scrivere i miei racconti. Non ce la faccio, non faccio che disegnare.

Passo i miei pochi momenti liberi sdraiato.

Quella mattina apro il «New Yorker» e lo sfoglio svogliato, un po' come sempre, alla ricerca di nuovi scrittori pubblicati al posto mio. Volto velocemente le pagine con le dita sporche del grasso con cui lubrifico la canna del fucile, e del lucido da scarpe per gli stivali.

Noto un grosso titolo, a caratteri enormi, che non faccio in tempo a leggere, ma che, per qualche motivo, penso meriti la mia attenzione. Torno indietro sulla pagina. L'apro.

CHARLIE CHAPLIN SPOSA A CINQUANTAQUATTRO ANNI LA GIOVANE DICIOTTENNE OONA O'NEILL, FIGLIA DEL PREMIO NOBEL EUGENIE O'NEILL.

8

Qualcosa mi strozza la gola, impedendomi di vomitare.

Disegno Chaplin e Oona che fanno cose insieme. Disegno un vecchio bavoso con una ragazzina che ha appena compiuto diciotto anni. Calco così forte sul foglio da spezzare la matita. Vorrei avere un pugnale.

I miei compagni hanno appreso la notizia e hanno cominciato a darci dentro a prendermi in giro. Mi sventolano sotto il naso la foto di quel vecchio figlio di puttana che infila l'anello al dito della mia fidanzata.

«Te la sta solo tenendo in caldo Jerome», dicono.

Non reagisco mai. Non potrei, e neanche ne ho voglia. Vorrei solo sparire, diventare un puntino invisibile dell'universo.

Sui giornali Oona ha subito un richiamo clamoroso. Sembra una cosa fatta apposta per la situazione, come se tutte le testate d'America si siano messe d'accordo per farmi vedere il più possibile il suo viso dolce.

Non posso più sfogliare un giornale che trovo una sua foto in costume dentro una vasca da bagno che pubblicizza una maledetta saponetta, o fa da testimonial per una marca di cipria e dice nel virgolettato "Fatti bella per il tuo soldatino"…

È più di quanto posso sopportare. Prendo tutti i giornali che ho e li fiondo nel cesto della spazzatura insieme al «New Yorker», e brucio la foto di Oona, rimanendo a guardare mentre si accartoccia su se stessa, si rimpicciolisce, diventa nera fino a sparire nella polvere.

In quel momento sento un leggero rumore. Non so di che si tratti. Sento un rumore, come quello di una lampadina che si fulmina per un corto circuito, ma la lampadina non c'è: è dentro la mia testa.

Mi sembra come se una parte del mio cervello sia morta in quest'istante. Mi porto una mano in mezzo agli occhi.

È successo un miracolo: d'un tratto, riesco di nuovo a ragionare, i miei pensieri si schiariscono e da liquami scuri e maleodoranti che erano si fanno acqua cristallina, mi sembra di aver trovato un ordine preciso, perfetto, come se adesso abbia capito esattamente quello che ne sarà di me stesso, come se davanti ai miei occhi ci sia stata per tutto il tempo una verità che fino ad ora mi era stata celata.

Non so se questo significhi crescere o sprofondare. So solo

che qualcosa sta cambiando, anche se non so quanto questo dipenda dalla mia volontà.

Ho squarciato un velo, mi è caduto davanti agli occhi e mi ha mostrato me stesso.

Ho ventitré anni. La guerra e una carriera da scrittore davanti.

Ucciderò. Camminerò con la morte.

Scriverò il più grande romanzo americano. Sarà letto da milioni e milioni di persone in tutto il mondo, ne faranno la loro religione. Il mio nome apparirà su tutti i giornali e tutti faranno la fila solo per vedermi, ma nessuno, dico nessuno, mi troverà mai. Vivrò lontano dal mondo, lontano da tutti, e tutti mi adoreranno. E lo faranno per sempre.

9

Kaufering, campo satellite di Dachau, Germania, giugno 1945

Superammo anche il gelo e la morte delle Ardenne, ma non superammo mai Kaufering.

Kaufering era un Krankenlager, e nessuno di noi aveva idea di che diavolo significasse, prima di entrarci dentro.

Si arrivava al campo da una strada asfaltata che tagliava a metà una cittadina tedesca di cui non ricordo più il nome. La cittadina finiva e si apriva la campagna, con i terreni tutti bruciati e gli alberi neri.

Questa è la prima cosa che ricordo: l'odore di bruciato, acre, insopportabile, non mi sembrò odore normale di bruciato, non quello che potevamo conoscere noi.

Da lontano vedemmo una montagnola ancora fumante, come un ammasso di legna appena andata a fuoco per qualche motivo. Sapevamo che i tedeschi se l'erano svignata poco prima che arrivassimo, evidentemente volevano dar fuoco a tutto quello che lasciavano, per non farci trovare niente.

La cosa strana è che più ci avvicinavamo più la puzza di bruciato ti entrava nelle budella e te le rivoltava letteralmente, facendoci venir voglia di vomitare. Era diventata dolciastra, non saprei più spiegarlo, ma forse non avrei saputo farlo nemmeno allora. Posso solo dire di averla ancora bene aggrappata nelle narici, la sento come se fosse ancora qui.

La montagnola era una specie di piramide nera, come il fumo che la circondava. Fermammo le Jeep, scendemmo.

C'era chi iniziò a vomitare quando notò le braccia, le mani, i piedi, i capelli, gli occhi e gli organi genitali che costituivano la parete della montagna. Era una pila di corpi bruciati, ammassati l'uno sull'altro come legna appena arsa. Ricordo il particolare di una bocca spalancata, dei denti ancora bianchi appesi alle gengive.

Nessuno disse niente. Rimanemmo in silenzio, con le bocche spalancate sotto le nostre mani che premevano per ricacciare in dentro i conati. Semplicemente non avevamo niente da dire.

Aprimmo i cancelli del campo, lentamente, come se avessimo avuto paura di quello che avremmo trovato all'interno. Non c'era coraggio nelle nostre azioni, non c'era ardore, paura, la guerra era finita e non c'era più niente da temere, tranne noi stessi: adesso era l'unica cosa di cui dovevamo preoccuparci.

Entrammo nel campo. I cadaveri giacevano buttati ai lati della strada terrosa. Baracche di legno sfilavano ai nostri lati. Avevano bruciato anche quelle, ma erano rimaste in piedi.

Ci avvicinammo alla prima sulla destra della strada, dovevamo aprirla. L'odore di carne bruciata era ancora più forte, all'interno del campo. La porta della baracca era stata inchiodata dall'esterno. La forzammo, facemmo saltare i chiodi. Una decina di cadaveri appoggiati alla porta ci cadde addosso, con le mani tese verso di noi, come imploranti.

La porta era tutta graffiata dall'interno. I tedeschi avevano chiuso i prigionieri dentro la baracca e gli avevano dato fuoco. Li avevano bruciati vivi.

Improvvisamente sgusciarono dal retro delle baracche gruppi di cadaveri che camminavano, stavano in piedi, gemevano con un filo di voce, si trascinavano le gambe sulla strada verso di noi. Erano nudi, magri come scheletri con addosso un vestito di pelle, che tesa rivestiva le ossa. I loro occhi, incastrati fra gli zigomi sporgenti, sembravano biglie scure, senza vita, e non osavano guardarci.

Ognuno di noi morì un po' di più, quel giorno. Sapevamo che quell'odore insopportabile di carne carbonizzata non ce lo saremmo mai più tolti di dosso. Lo sento ancora adesso, su questo letto d'ospedale, mentre sono avvolto da cose bianche e accarezzato dalle infermiere. So che non dovrei avere più niente di cui aver paura, eppure.

Ripensai alle anatre. Già, dove vanno a finire le anatre d'inverno?

"Caro Max, ti dico che gli uomini non sono altro che sacche rigonfie di sangue che scoppiano non appena cadono a terra" scriveva K. seduto al tavolino di legno della sua stanza da letto.

Era sera e la città si vestiva di nero e di giallo. L'inverno praghese. I vicoli bui, le bettole, i volti paonazzi degli ubriachi, le gonne alzate delle puttane.

Dalla finestra semiaperta della sua stanza, K. poteva sentire il ritmo serrato delle scarpe dei passanti sulla via e i lamenti dei cavalli che trascinavano le carrozze dei borghesi.

"Non hai idea di quanto abbia da fare, in ufficio. La gente precipita dai ponteggi e nei macchinari come fosse ubriaca, tutte le assi si ribaltano, tutti i terrapieni collassano, tutto ciò che viene messo in cima cade, quel che viene portato giù trascina qualcuno su. È pieno di idioti che cadono continuamente, si mozzano le dita, se le sbriciolano sotto le presse, donne che rotolano per le scale a chiocciola di una fabbrica di porcellana."

La stanza di K. era piccola quanto un ripostiglio e, malgrado tutto il resto dell'appartamento fosse adeguatamente confortevole, preferiva di gran lunga scrivere fra le quattro mura della sua stanza da letto, come se l'ambiente ristretto gli fosse d'aiuto a non disperdere i pensieri.

Una lampada illuminava il centro della stanza, lasciandone al buio gli angoli. Le mensole sulle pareti bianche sorreggevano pile di carta e libri. Ce n'erano ovunque: sul pavimento di legno, sotto il letto, sulla scrivania.

K. scriveva ancora più stretto dai libri, come intrappolato fra i volumi di Dostoevskij, Tolstoj, Flaubert, Balzac, Turgenev, Goethe, e di tanto in tanto, mentre scriveva, coi gomiti ne faceva cadere qualcuno.

"Gli operai, i lavoratori, tutti gli uomini, sono troppo deboli per resistere ai pericoli della vita. Hanno bisogno di qualcosa che li protegga. O che qualcuno li protegga, amico mio, hanno bisogno dell'Autorità dello Stato. Ma non basta, non è sufficiente. Occorre un'autorità ancora superiore allo Stato, c'è bisogno di un Padre, di Dio. Ma che succederebbe se nessuno dei due si manifestasse? O se si manifestasse solo attraverso una rabbia furiosa nei nostri confronti, nei confronti delle nostre tante inadeguatezze? Potremmo dire di averne ancora veramente bisogno? Credo di sì. Penso che l'uomo voglia soltanto che Dio lo protegga, caro amico, anche se in modo brutale, che lo protegga dalla vita e dalla morte, dagli altri e ancor di più da se stesso, perché il desiderio di morire sorge dentro di noi non appena cominciamo ad avere coscienza della vita. Abbiamo bisogno di qualcuno che ci allevii la paura dell'essere vivi tenendoci per mano e accarezzandoci la testa. Proprio come faceva mio Padre, o meglio, come faceva tuo Padre quando eri bambino."

Sbatté la finestra. K. balzò sulla sedia, spaventato. Andò a chiuderla.

Troppe cose lo distraevano dalla scrittura, a cominciare dal suo lavoro vero, quello da impiegato all'Istituto di assicurazioni anti infortuni sul lavoro. Un mestiere in cui K. si riscopriva ogni volta incredibilmente bravo. Era un impiegato competente, svelto, sempre aggiornato sulle ultime normative del lavoro, un collega generoso, e da poco dirigeva un ufficio.

K. era diviso fra il senso del dovere nei confronti dell'azienda e la volontà di lasciare tutto e dedicarsi solo ai suoi racconti. Perché il lavoro lo impoveriva d'animo, ma allo stesso tempo gli dava il diritto di essere socialmente vivo. O almeno così credeva.

Ricominciò a scrivere. Venne interrotto ancora una volta. Stavolta era la voce acuta di Gregor, che proveniva dal fondo della stanza.

«Non dovresti più fare così. Dovresti licenziarti», disse.

«Dove sei?» K. si alzò. Si passò una mano tra i capelli e sugli occhi esausti. Le ombre tagliavano la stanza in tante figure geometriche spezzettate. Si avvicinò alla porta. Gregor era lì, nascosto dalla penombra.

«Non interrompermi, Gregor, hai rovinato tutto, maledizione.» K. si alzò in piedi e sistemò il gilet, sgualcito dalla giornata di lavoro.

«Pensi che Shakespeare avesse tempo per fare l'assicuratore?»

«I miei racconti non saranno niente dopo di me. Non sono niente neppure adesso. Io non sono Shakespeare.»

Gregor tacque. Sbucò fuori per metà. Il suo corpo sbucò per metà dalla penombra. K. lo sentiva muoversi. «Ho bisogno di uscire, di vedere qualcuno. Non riesco a scrivere adesso.»

«Hai bisogno di dormire. Non di quelle donne da quattro soldi», disse Gregor, «il sesso è sporco. Tu sei sporco.»

Gregor uscì del tutto dal letto. Si mise letteralmente in piedi. Era piccolo ma in quel momento sembrò più alto e più grosso di K. «Sei un verme. Sei uno schifoso. Sei un insetto», disse.

«Basta!» gridò K. Infilò la giacca, il cappotto, mise il cappello e uscì sbattendo la porta.

2

Hansi Baumann era appena arrivata nel palazzo vecchio e diroccato in quel vicolo della Staré Město, la Città Vecchia di Praga. La strada e l'ingresso del palazzo puzzavano di alcol e altre porcherie, e gli ubriachi dormivano privi di sensi agli angoli della strada, tentavano barcollando di entrare nel palazzo, ma venivano puntualmente cacciati via da Madame Nediakina, la donna che gestiva l'attività. Era una di quelle russe robuste, indurite, che non si fanno problemi a picchiare il loro stesso marito, un povero emigrato ucraino che adesso faceva il contabile per l'attività della moglie.

Hansi era stata appena assunta. Per il momento portava i cocktail dal bar ai tavoli dove signorotti in cilindro e panciotto guardavano i dozzinali balletti delle ragazze che scimmiottavano il Burlesque, fumavano sigari ciondolando fino al piano di sopra, dove di solito si chiudevano in una delle camere da letto accompagnati da una delle ragazze di madame Nediakina (le piaceva farsi chiamare così, come fosse un'aristocratica francese).

Era una notte del genere quando Hansi aveva visto da lontano le luci calde della casa di tolleranza e aveva bussato alla sua porta.

Madame Nediakina aveva capito tutto, le era bastato guardare il viso di Hansi, leggerle la paura nello sguardo, una paura che apparteneva ad un'età precedente, e che non era mai andata via: una paura che Sonja Nediakina conosceva benissimo.

Hansi si tolse il cappotto di panno, si lisciò con una spazzola i capelli biondi allo specchio, e cominciò.

Le piaceva molto, Sonja. Per prima cosa le era grata perché

le aveva offerto un lavoro, e le loro storie, tristemente simili, le univano in una specie di rapporto madre figlia che nessuna delle due aveva mai avuto. E poi l'ammirava molto per la sua forza, il coraggio, la sfrontatezza di gestire un bordello nel pieno centro di Praga, il che voleva dire curare i rapporti con le autorità, con la polizia, trovare sempre il modo giusto per comprarli. Di solito bastava qualche ragazza giovane, che facesse sentire ancora vivi quei vecchi burocrati e funzionari tronfi della loro misera porzione di potere.

Ma Hansi queste cose ancora non le aveva mai fatte, anche se, dentro di sé, sentiva che Madame Nediakina, al primo sguardo eccitato di un qualche funzionario di polizia, le avrebbe chiesto di sacrificarsi per il bene dell'attività.

Hansi prese una bottiglia dal bancone del bar e la infilò in un secchio che aveva riempito di ghiaccio. Dalla sala già si alzavano moleste le voci degli uomini, fino a sovrastare un disco di musica orientale. Hansi aprì leggermente le tende rosse di velluto, pesanti e impregnate di un profumo così dolce da nausearla. Sul palco una ballerina obesa si agitava su se stessa in una specie di danza del ventre furiosa, passava fra i tavolini e toglieva i cappelli agli uomini, gli toccava la testa, drizzando loro i capelli.

Prima di entrare Hansi indugiò un attimo, tenendo con tutte e due le mani il secchio col ghiaccio e la bottiglia. Si voltò d'istinto verso la porta d'ingresso. Era entrato un uomo. Sembrava essersi perso. Era fermo sulla porta d'ingresso, immobile, col cappotto e il cappello in mano. Hansi trovò la scusa per ritardare il suo ingresso in sala e andò a dare il benvenuto aziendale al cliente.

«Posso aiutare?» disse.

Quando Gregor lo attaccava in quel modo gli ricordava suo padre. Sceglieva accuratamente le stesse parole che avrebbe scelto suo padre, usava la stessa costruzione delle frasi, perfino lo stesso tono.

Quando voleva, Gregor poteva essere di una cattiveria straordinaria. E questo succedeva ogni volta che K. trascurava la sua scrittura. Era come se Gregor avesse potuto vedere chiaramente il senso di colpa che provava K., e ogni volta riusciva a sbatterglielo in piena faccia, come uno schiaffo.

K. si alzò il bavero, sfregò le mani e si strinse nel cappotto mentre camminava scivolando di tanto in tanto sul marciapiede semi ghiacciato.

Non alzò mai lo sguardo da terra. Davanti a lui passeggiavano le ombre affusolate e minacciose dei passanti. Le vedeva riflesse sulla strada, spaventose come anime morte che riemergevano in superficie.

Camminando a passi sempre più veloci K. fu sopraffatto da quel solito stato d'animo che non era né gioia né tristezza, né felicità né dolore, semplicemente non era niente, come una specie di gelida atarassia, di noia insuperabile.

Tutte le volte che questo stato d'animo si insinuava dentro di lui, K. reagiva, perché ormai conosceva benissimo la ricetta per affrontarlo: doveva incontrare altre persone. Ma questo si scontrava con il desiderio di non essere visto, di non parlare, di non esserci. E allora doveva forzarsi, spingersi fra la gente e non provare disgusto nel farlo.

Alzò la testa, dopo aver camminato per poco più di un quarto d'ora. Si fermò a riprendere fiato. Davanti a lui c'era un vecchio palazzo in stile barocco e i sempiterni ubriachi che dormivano ai suoi piedi, con la testa sui gradini delle scale o sul selciato. K. si portò davanti l'ingresso. Le stanze calde del palazzo e le loro luci accese lo invitavano ad entrare. Dall'interno proveniva una strana musica orientale che rendeva tutto una specie di sogno grottesco.

K. si lanciò verso la porta ed entrò.

Per prima cosa non si tolse il cappello. Era una cosa che nei bordelli non si faceva. Cominciò lentamente, bottone dopo bottone, ad aprirsi il cappotto. Se lo tolse, piegandoselo sul braccio.

Era difficile guardare attentamente le ragazze, perché erano troppe: ammiccavano, e soprattutto gli stavano troppo vicino. Avrebbe dovuto spalancare gli occhi, per vedersele tutte. In fondo, notò soltanto quella che per caso gli stava davanti. Solo in quel momento si chiese perché diavolo fosse finito di nuovo in quella casa, e l'impulso feroce di uscire e tornarsene sulla strada venne bloccato solo da una voce gentile che diceva: «Posso aiutare?»

Una ragazza con un secchio in mano gli si avvicinò, offrendosi con il solo gesto della mano libera di prendergli il cappello e il cappotto. K., senza dire niente, perché non c'era granché da dire, glieli consegnò.

Quella ragazza gli era passata davanti mille volte, eppure era come se per la prima volta si fosse accorto di lei. Non che avesse una conoscenza approfondita delle ragazze che popolavano quella casa. L'unica persona che conosceva bene era la proprietaria, una russa arricchita e volgare, come probabilmente si addiceva alla proprietaria di un bordello nel centro di Praga.

K. si vergognò di essere lì. Si sentì improvvisamente come un intruso, fuori posto, avrebbe voluto sparire con uno schiocco di dita.

In quel bordello ci era entrato tante di quelle volte che non le contava più.

Una sera come quella, K. passeggiava per la città, come sempre, e, come sempre, si era perso. Passò per puro caso davanti al bordello di Madame Nediakina. E lo evitò. Poi ci passò la sera successiva, e lo evitò anche quella volta. Ci passò la sera dopo, e quella dopo ancora, finché non si fece forza ed entrò.

Bevve e guardò un balletto penoso. Avrebbe poi pagato la compagnia di una ragazza di cui avrebbe dimenticato in fretta il nome.

Perciò non era la vergogna di trovarsi lì ad averlo assalito. Era lo sguardo di quella ragazzina, che non aveva mai visto prima e che, per qualche motivo a lui sconosciuto, gli creava così tanto imbarazzo. Forse perché sembrava anche lei capitata lì per caso.

«Lei lavora qui?» disse K. mentre si sistemava la giacca e si pettinava come poteva i capelli.

La ragazza stava riponendo il cappotto e il cappello di K. nel guardaroba (un armadio più o meno di qualche secolo precedente). «Sì, più o meno», rispose, «in realtà non saprei dirlo.»

K. fece un leggero colpo di tosse. «Non l'ho mai vista da queste parti. È nuova?»

«Sì, sono qui da poco. Una settimana, signore.»

K. la fissò. «Cosa fa?» le chiese.

«La cameriera per ora, signore.»

Lei, chiudendo l'armadio, rimase qualche secondo in silenzio, con quel secchio che sembrava cominciasse a pesarle.

Portava un grembiule bianco su un vestito nero che le lasciava le braccia e le spalle nude. Aveva la pelle bianchissima, morbida, soffice. Sul viso una serie di lividi, sulla fronte e sotto gli occhi. I lineamenti del volto non erano affatto delicati, era molto magra e gli zigomi le spuntavano appuntiti sopra le guance come i vertici di un triangolo. Il naso sembrava leggermente troppo lungo, o comunque messo lievemente in risalto per l'eccessiva magrezza, che le schiacciava impietosamente anche le rotondità del suo corpo di giovane donna.

La cameriera fece cenno a K. di accomodarsi nella sala.

Lui fece un passo avanti e uno indietro. Non ne aveva voglia. Fece di no con la testa. Si accomodò al bancone del bar e ordinò da bere. Aveva voglia di restare a parlare con lei.

4

Era un tipo strano, e non le venivano altri aggettivi. Strano perché non somigliava affatto alla clientela abituale di Madame Nediakina: non era un ricco commerciante che voleva farsela con le ragazzine, non sembrava un alcolizzato, un riccone annoiato, un maniaco depravato o, peggio, un prete cattolico.

Hansi si sentiva attratta dalle cose fuori posto. Non che si sentisse attratta da quell'uomo, ma, in un certo senso, la incuriosiva.

D'improvviso guardò per terra. C'era dell'acqua. Qualcosa gocciava, forse una tubatura... forse il suo secchio pieno di ghiaccio sciolto.

Strizzò gli occhi e si batté la fronte con la mano libera. Cambiò velocemente il ghiaccio dietro il bar e di corsa entrò in sala, portando la bottiglia al tavolo che l'aveva ordinata più o meno venti minuti prima. Nessuno si arrabbiò, erano tutti troppo ubriachi, ma niente mancia.

Hansi tornò al bar, si asciugò le mani sul grembiule.

«Come si chiama? Da dove viene? Quanti anni ha?»

L'uomo sorseggiava una pinta di birra seduto su uno sgabello traballante, entrambi i gomiti poggiati sul bancone.

Hansi si voltò, guardandolo. Lo sguardo dell'uomo, contrariamente al suo atteggiamento, non le sembrò affatto sfacciato. Sembrava realmente interessato alle sue risposte. Hansi cambiò idea.

«Mi chiamo Hansi Baumann. Abito nella Nové Město. Ho diciotto anni.»

L'uomo diede un ampio sorso di birra.

«Lei come si chiama?» chiese Hansi.

«Con chi vive?»

Hansi aggrottò la fronte.

«Nella Nové Město, con chi vive?» ripeté l'uomo.

«Con mio padre», rispose lei.

L'uomo non replicò. La guardò soltanto, inchiodando gli occhi sui lividi che aveva sulla fronte e sotto gli occhi. A dire il vero non aveva mai smesso di guardarla, ma non perché volesse importunarla, tutt'altro: la sua sembrava pura e semplice curiosità.

«Mi chiamo K.», disse l'uomo.

Hansi venne assalita di colpo da un brutto presentimento. Le venne in mente qualcosa che le provocò un tuffo al cuore, agghiacciandola.

«Lei... lei è della polizia per caso?» chiese, con la voce tremolante.

K. scosse la testa. Hansi tornò in vita.

«No», aggiunse K., «sono solo un impiegato dello Stato...» Poi cominciò a tossire. Era diventato tutto rosso, si scusò con Hansi. Spiegò di soffrire frequentemente di attacchi di tosse, e non sapeva a che diavolo fossero dovuti.

Dalla sala la musica orientale finì. K. si voltò verso Hansi, come per salutarla. Si alzò dallo sgabello e sistemò il nodo della cravatta.

Non era molto alto, ed era magro, scavato in viso, bianco come un cencio. Aveva uno sguardo severo, austero, in generale la sua espressione era molto seria e i suoi movimenti rapidi, secchi, quasi da soldato. Hansi pensò che quell'atteggiamento fosse figlio di un'educazione particolarmente rigida. Tutta quella durezza era poi accompagnata da un velo spesso di tristezza, che sembrava pesasse sul capo dell'ospite, tanto da tenerlo sempre inclinato verso il basso.

K. con un ampio sorso svuotò il boccale di birra e tirò fuori dalla tasca un paio di banconote arrotolate.

Nello stesso momento uno scarafaggio grosso e schifoso schizzò fra le caviglie di Hansi, veloce come un'ombra.

5

K. avrebbe passato volentieri qualche ora con Hansi, ma non avrebbe mai avuto il coraggio di chiederle nulla: ci aveva parlato troppo, aveva superato i limiti della confidenza informale che poteva concedere alle puttane.

Le aveva visto sul viso la firma del padre. Aveva provato per lei una specie di interesse che sembrava di altra natura, più densa, più profonda, un bene che non poteva finire sulle lenzuola sporche di quella casa.

Si accontentò di un'altra ragazza, che spuntò dal piano di sopra.

Andò da lei, le consegnò delle banconote arrotolate. Lei lo condusse di sopra senza dire una parola. Questa era una cosa fondamentale per K., per lui l'atto si consumava senza scambi inutili di parole, di gesti, gusti o addirittura di idee, si faceva tutto senza alcun coinvolgimento se non quello strettamente fisico, come qualsiasi altra necessità biologica.

Quando ebbe terminato tornò di sotto. Riprese il cappotto e lo indossò. Davanti la porta, come a bloccargli l'uscita, spuntò Gregor.

«Mi hai seguito», disse K., «è chiaro.»

Gregor fece cenno di no. «No, mio caro, io so sempre dove ti trovi. Non ho bisogno di seguirti.»

K. fece per aprire, e Gregor si affrettò a spostarsi per non essere investito dalla porta.

Erano fuori.

Il gelo entrò nei polmoni di K. e gli fece provare un leggero bruciore al centro del petto.

Si sentiva svuotato. Incontrarsi la sera con le prostitute era diventato un compito spiacevole, che lui eseguiva per senso del dovere nei confronti delle voglie del corpo, ma che lo lasciava ogni volta sempre più disgustato.

Lo disgustava la sua capacità di estraniarsi dalla sua coscienza e di farsi piacere qualsiasi donna, non importava chi fosse, purché fosse disposta a passare la notte con lui, purché non richiedesse alcuno scambio di parole.

Gregor lo rimproverava continuamente per questo, e così fece per metà del viaggio di ritorno verso casa. K. camminava lento, svogliato, e il fiato gli usciva dalla bocca come fumo di sigaretta. Era scosso da qualcosa.

«Di cosa hai paura?» chiese Gregor. Conosceva qualsiasi variazione, tremolio, anche il più piccolo smottamento della personalità di K.

K. non rispose.

«Hai paura di quella donna. Sei spaventato dalle cose che

vuoi», disse Gregor, con quella voce vibrante e fastidiosa. Certe volte sembrava provenire da sotto terra, sembrava demoniaca, non umana.

«La felicità è la cosa più spaventosa che possa capitare. Tutti dovrebbero temerla», disse K.

Gregor sbuffò, cercando di far sentire a K. il suo disappunto.

«Il tuo problema», disse, «è che non hai mai avuto il coraggio di fare quello che ti piace. Hai paura della vita, l'hai sempre avuta. Vuoi scrivere? Vuoi una donna? Puoi farlo, puoi scrivere e trovarti una donna. Ma non lascerai mai il tuo lavoro, non corteggerai mai una donna, perché sei troppo codardo.»

K. si morse il labbro e cominciò a camminare più veloce, Gregor lo seguiva come poteva.

«Non sono io», disse.

«Come prego?» chiese Gregor.

«Non sono io. È la vita che fa paura. È così ovvio e scontato. Chi non ha paura è perché finge di non averla, o perché è troppo stupido per rendersene conto. Siamo tutto sguarniti, disarmati, perennemente esposti al pericolo, siamo spacciati dal momento in cui siamo nati.

«Non posso permettermi di realizzare quello che voglio. Non sento di meritarlo. Le mie due professioni non si possono mai conciliare né ammettono una felicità comune. Se una sera scrivo qualcosa di buono, il giorno dopo in ufficio sto sulle spine e non riesco a combinare niente. In ufficio adempio esteriormente i miei doveri, non invece i miei doveri interiori, che tu conosci così bene, e ogni dovere interiore non adempiuto diventa un'infelicità che non s'allontana più da me.

«Sento di dover vivere per sempre fra il rifiuto e il desiderio, e tu, con le tue considerazioni incaute e superficiali, sarai sempre il mio carnefice.»

A quelle parole Gregor non rispose. Si limitò a superare velocemente K. e guardare fisso la strada.

K. guardò il suo corpo sparire nel buio del viale. Per un attimo sperò se ne fosse andato per sempre. Ma poi realizzò che anche quella volta, come tutte le altre, l'avrebbe ritrovato a casa ad aspettarlo. Iniziò a tossire violentemente, e qualche schizzo di sangue gli bagnò il palmo della mano.

6

C'erano due porte a doppia anta laccate di nero. Una divideva l'ufficio di K. dal corridoio buio, lungo il quale si allineavano gli schedari. L'altra conduceva ai rimanenti uffici, situati al primo piano dell'Istituto, che davano sulla strada. L'ufficio di K. era una stanza di medie dimensioni, con il soffitto abbastanza alto, e tuttavia opprimente. L'ambiente ricordava molto l'eleganza dignitosa di un importante studio legale, l'arredamento era adeguato.

K. sedeva nella sua stanza, dietro la sua scrivania coperta di fogli di carta, pratiche fascicolate, appunti, e un vasetto di vetro con due matite e una cannuccia per scrivere e una tazza da tè blu e oro. Nel guardaroba dietro la scrivania c'era soltanto la sua seconda giacca grigia consumata, che teneva lì per i giorni di pioggia.

Leggeva un rapporto aggiornato sugli infortuni più recenti avvenuti sul posto di lavoro, e sullo stato dei contenziosi in corso.

"Il manovratore F.P. rimane incastrato sotto il suddetto carrello elevatore con la gamba, dal ginocchio in giù. Il soggetto manovratore in questione perde la gamba e cita in giudizio il ns. Istituto tramite l'avvocato D.V. di cui comunicazione in allegato."

"L'operaio restauratore R.M. precipita da un'impalcatura di metri 2. Si riscontra la rottura scomposta della gamba destra. Si riconoscono le responsabilità all'operaio che ha, secondo le testimonianze qui in allegato, camminato a passo incautamente accelerato lungo l'impalcatura. L'Istituto non corre rischio di citazione in giudizio."

"Il metalmeccanico specializzato P.K.J. rimane incastrato nella pressa con l'avambraccio e lo perde..."

"Il macchinista H.F. perde un piede..."

"Il fabbro J.H. perde quattro dita..."

K. passò la giornata a leggere di poveri disgraziati che ogni giorno perdevano qualche parte del corpo.

"Il muratore F.K. viene colpito in testa da un secchio riempito da cemento precipitato da impalcatura di altezza metri 5,5. Alla moglie e alle tre figlie del muratore F.K., deceduto, spetta pensione a lui destinata."

Posò il fascicolo sul piano e si mise una mano sulla fronte.

Un uomo era morto colpito in testa da un secchio. Poteva esistere una morte più stupida?

Non era una notizia così particolare, in fondo. Tutti i giorni succedevano incidenti del genere. Quello che era incredibile per K. era constatare, per l'ennesima volta, l'impotenza, o peggio, la non volontà dello Stato a garantire la sicurezza degli operai sul posto di lavoro.

«Hai letto? Nel nostro beneamato Regno succede tutti i giorni. E alla famiglia di questo poveraccio va la sua misera pensione come premio di consolazione per la morte», disse K.

Gregor, accanto a lui, sgranocchiava qualcosa. «Fai qualcosa allora», disse, «per questa gente. Fai in modo che certe cose non accadano più.»

7

Hansi rientrò in casa dopo aver passato la notte al lavoro.

Per tutto il tempo in cui lei era stata via Josef Baumann, suo padre, non aveva pensato ad altro.

Come ogni sera aveva bevuto fino a svenire, visto che ormai aveva superato da tempo la soglia dell'ubriachezza e aveva raggiunto la nuova condizione in cui tutto l'alcol del mondo non sarebbe più bastato a stordirlo, ed era costretto a bere sempre di più per non pensare a niente, e finalmente addormentarsi svenuto sul tavolo della cucina o su quello di una bettola del quartiere operaio in cui viveva. Bottiglie di vodka gli erano diventate innocue come bottiglie d'acqua, e non distingueva più la sobrietà dall'ubriachezza.

Aveva perso il lavoro, ma tutte le mattine continuava ad alzarsi alle cinque, come se non fosse cambiato niente, si sedeva in cucina, e guardava la parete.

Quando Hansi rientrò lo trovò con la testa poggiata sul tavolo, le braccia penzoloni, le caviglie incrociate sotto la sedia.

Aveva aggredito il macchinista revisore, gli aveva tirato una chiave inglese in testa. Questo era il motivo per cui aveva perso il lavoro. Non la prepotenza dei padroni, come blaterava lui.

Hansi si tolse le scarpe, perché sapeva benissimo che svegliare suo padre da sbronzo era una cosa pericolosissima, poteva diventare matto per una cosa del genere.

C'erano delle volte in verità in cui Josef si stordiva al punto di perdere i sensi per ore, che se pure gli fosse crollato il palazzo sulla testa non se ne sarebbe accorto. E Hansi sperava che questo fosse lo stato di suo padre, quando lo vide dormire sul tavolo della cucina, perché c'erano altre volte in cui Josef fingeva di dormire, e fingeva che Hansi l'avesse svegliato, in modo che avesse un buon motivo per arrabbiarsi, per picchiarla e scaricarle addosso il rancore di una vita.

Purtroppo Josef non dormiva più. Hansi l'aveva svegliato aprendo la porta, malgrado avesse fatto come sempre attenzione a non fare rumore. Si vede che suo padre non aveva bevuto abbastanza, aveva finito l'alcol troppo presto.

Josef rimase con la testa sul tavolo, coperta dalle braccia, immobile, mimetizzato con l'ambiente come un predatore in attesa. Hansi, la preda, doveva per forza passargli davanti per raggiungere la sua stanza.

Non appena lo fece Josef scattò in piedi e l'afferrò per un braccio.

Non disse nulla. Solo le strinse il braccio sempre più forte, come se avesse voluto spezzarglielo.

Hansi aprì la bocca per il dolore ma non emise nemmeno un gemito, perché sapeva che se avesse urlato al padre sarebbe venuto mal di testa e l'avrebbe picchiata, sapeva che se avesse pianto l'avrebbe fatto infuriare ancora di più, sapeva che se l'avesse supplicato, se avesse cercato di liberarsi, se avesse scalciato, sapeva che suo padre gliel'avrebbe fatta pagare.

Il fatto è che Hansi, in fondo, sapeva benissimo che quando suo padre si metteva in testa di picchiarla semplicemente succedeva e basta, e non c'era niente da fare per evitarlo. Il modo in cui si sarebbe comportata lei era del tutto irrilevante, perché a suo padre non interessava, cominciò a sospettare che non interessasse neppure a Dio, anche se, dentro di sé, lo invocava ogni volta, chiedendogli pietà, ma non riuscendo mai a impietosirlo veramente.

Il suo istinto però si rifiutava di accettare quest'idea di impotenza, e quindi sperimentava ogni volta un modo diverso per uscire da quella situazione.

In quel caso, l'istinto di Hansi la immobilizzò, le paralizzò ogni muscolo. Le fece fissare il petto ampio e rosso di suo padre, i cui peli scuri spuntavano dalla canottiera bianca come braccia imploranti di dannati.

Josef la schiaffeggiò. L'odore alcolico del suo alito le penetrò nelle narici e fino allo stomaco, nauseandola.

La schiaffeggiò ancora, di rovescio. Josef voleva vederla reagire. Hansi non l'aveva capito e continuò col suo immobilismo. Josef la prese per le spalle e la sbatté contro il muro, facendo vibrare la parete.

Una volta, Hansi aveva sentito due clienti parlare di uno studio recente sul cervello: pareva che, nei momenti di imminente pericolo, rilasciasse una sostanza che impediva al corpo di sentire troppo dolore. Lei non sapeva di che si trattasse, sapeva solo che quella sostanza il suo cervello la stava producendo adesso, e le stava impedendo di sentire il dolore delle nocche di marmo di Josef contro i suoi zigomi, e i colpi le rimbalzavano sul viso come se fosse diventato di gomma.

Un pugno le piombò sulla bocca dello stomaco e Hansi crollò a terra, senza respirare. Josef cominciò a tirarle calci sulla testa. Era stato investito da una rabbia furiosa, che gli impediva di fermarsi come faceva di solito. Stavolta voleva scaricare su di lei tutto se stesso. Voleva ucciderla.

8

"Non doveva morire così. Il mondo, mio caro Max, è un posto terribile." Scriveva K., quella notte, sdraiato sul letto della sua camera.

«Smettila di tormentarti. Se un operaio viene ucciso da

un colpo in testa quello che succede non è colpa tua», disse Gregor. Era sgusciato da sotto il letto.

K. posò la lettera. Non aveva mai smesso di pensare al caso dell'operaio F.K. che aveva letto in ufficio. Pensò ai suoi figli, e a che cosa stavano provando in quel momento, mentre lui era lì sul letto, o cosa dovevano aver provato mentre gli riferivano che il loro padre era morto per un secchio cadutogli sul cranio.

S'immaginò i loro visi, la paura delle situazioni nuove che stringeva i loro petti come la mano di un mostro. Per un attimo gli sembrò di poter provare il loro dolore, ma non si trattava di pietismo: K. non soffriva per loro, semplicemente soffriva con loro.

Si sbottonò la camicia, come se avesse avuto bisogno d'aria.

«Ho l'orrenda abitudine di sentirmi costantemente al centro degli eventi. Se un bambino muore in Namibia io mi sento colpevole.»

«Perché ti piace tormentarti», ripose immediatamente Gregor.

«Vorrei fare qualcosa. Vorrei tornare indietro e impedire che F.K. venga colpito. È il mio lavoro, Gregor. Se incidenti del genere continuano ad accadere, vuol dire che non so fare nemmeno il mio lavoro.»

«Non è compito tuo salvare l'umanità», rispose Gregor, «mi sembra un po' presuntuoso da parte tua.»

K. pensò che Gregor avesse ragione, ma che si sbagliava, allo stesso tempo. Di solito aveva sempre ragione, anche se ogni volta che discutevano K. cercasse di smentirlo, ma era totalmente inutile, come cercare di toccare qualcosa di incorporeo, come provare a forzare la propria natura andandole ostinatamente contro.

K., d'improvviso, s'illuminò. Gli venne qualcosa in mente, un pensiero veloce e fulmineo. Uno di quei bagliori che avevano caratterizzato tutta la sua produzione letteraria, di quelli che non sentiva da chissà quanto tempo.

«Gregor?» disse.

«Sì?»

K. si grattò la testa. «Che succederebbe se domani mattina ti svegliassi, e ti ritrovassi trasformato in un essere umano?»

Gregor, per la prima volta in tutta la vita, non seppe che rispondere.

«…Sarebbe orribile», disse. «Questa è l'unica cosa che mi viene in mente.»

Si arrampicò sul letto, salì sul corpo di K. e si posò sulla sua mano.

K., pensieroso, lo fissava.

«È possibile, amico mio, che tu preferisca la tua condizione di insetto a quella di un essere umano?»

Gregor ci pensò su qualche secondo. «Non lo so se è possibile. Ma è così. Credo sia di gran lunga migliore.»

K. prese la lettera che stava scrivendo a Max Brod e la rovesciò. Il foglio ingiallito si stendeva sulle sue ginocchia come un antico papiro.

Sentì Gregor muoversi sulla sua mano. «E tu», disse Gregor, «veramente preferisci la tua condizione di essere umano?»

K. non rispose e iniziò a scrivere l'idea per una storia: quella di un uomo di nome Gregor che improvvisamente, un mattino, si trasforma in uno scarafaggio. Poi si bloccò. Scrisse soltanto con una matita spuntata: "La metamorfosi"

Un'ora dopo K. uscì di casa. Attraversò la Staré Město, imboccò il vicolo, e presto fu davanti la casa di Madame Nediakina.

Si sentiva di buon umore, perché niente al mondo poteva rallegrarlo come avere in mente una storia. Dentro di sé, in qualche angolo della sua coscienza K. sapeva che quel momento di felicità sarebbe finito molto presto, come sempre gli succedeva.

Entrò nella casa. Gregor, dietro di lui, passò sotto la porta, e fece gridare qualche sgualdrina e affrettare i loro clienti a cercare di schiacciarlo. Invano, ovviamente. Sgusciava imprendibile fra i loro mocassini come un piccolo demonio, come un'ombra.

K. squadrò tutte le persone che gli capitavano davanti, tutte le ragazze, le cameriere che per lui non erano altro che sagome fosche e inesistenti. Dalle scale scese Madame Nediakina. K. si precipitò a salutarla, sfilandosi il cappello.

«Buonasera, Madame. Sa dirmi dov'è Hansi? Stanotte verrà?»

Sonja Nediakina, scendendo le scale nel suo ampio e sfarzoso quanto pacchiano vestito rosso, con lo stesso atteggiamento pretenzioso di riverenze di una principessa, fu colta di sorpresa, e un po' spaventata. Per prima cosa perché aveva visto spesso quell'uomo, e mai, neppure una volta, aveva mai scambiato parola con qualcuno, nemmeno con le ragazze che lo accompagnavano nelle camere da letto. E poi, cosa poteva volere da Hansi?

Sonja si fermò nello spazio fra l'ultimo scalino della rampa e la porta.

«Hansi non è ancora arrivata, Signore. Posso chiedere cosa le interessi di Hansi Baumann? Lei non fa quello che fanno le altre ragazze qui dentro.»

K. cominciò a tossire, sempre più forte.

«Mi scusi», disse. Riprese fiato. «Voglio solo parlarle. Sa dirmi quando arriverà?»

Madame Nediakina prese una sigaretta e l'applicò su un bocchino di pesante oro giallo. L'accese strofinando un fiammifero contro lo stipite della porta.

«Avrebbe già dovuto essere qui, per quanto ne so io», rispose.

K., dietro la maschera di cerone e durezza moscovita di quella donna, intravide un bagliore provenire dai suoi occhi celesti, uno smottamento leggero e quasi impercettibile della sua struttura facciale, una sorta di commozione combattuta con tutti i mezzi a disposizione: quella donna aveva a cuore Hansi, e si preoccupava per lei.

«Fa spesso ritardi di questo genere?» chiese K.

«Mai capitato. Per quanto ne so io», rispose Sonja, e stavolta la sua preoccupazione e il suo affetto materno per Hansi trapelò dal tremolio insolito della sua voce.

«Non ne abbia troppo pensiero», disse Madame Nediakina, rientrata nei panni della proprietaria della casa di tolleranza, «si accomodi, prenda da bere, qualcuna delle mie ragazze provvederà a…»

«Non serve, grazie. Aspetterò qui.» K. si sedette su uno sgabello del bar, e infilò le mani nelle tasche del cappotto che decise di non togliere, malgrado il cortese invito di Madame Nediakina.

Passarono un paio d'ore, e tre grosse pinte di birra.

«Gregor?» disse K., sottovoce.

Gregor non rispose. Dormiva sotto lo sgabello di K.

Erano quasi le quattro. K. scolò l'ultimo sorso di birra. Indossò il cappello e quando si voltò, le lacrime gli offuscarono la vista di fronte al viso sfigurato di Hansi.

9

Hansi si era svegliata ai piedi della credenza, macchiata dal suo stesso sangue.

In quel momento non se ne curò. A dire il vero non si curò di nulla. Sentì solo silenzio. Pensò di essere morta.

Non appena mosse un braccio, il dolore si risvegliò con lei e le piombò addosso di colpo, come se avesse deciso di lasciarla in pace per un momento, e ora che le schizzò alla testa le ricordò di essere ancora viva.

In cinque minuti ricordò tutto quanto, e un'autentica paura di morire le chiuse la gola. Non sapeva dove si trovasse suo padre. Secondo lei la credeva morta, ed era scappato. Ma se fosse tornato e l'avesse trovata ancora viva? Che sarebbe potuto succedere?

Hansi raccolse le forze e provò ad abbandonare la posizione supina e a voltarsi su se stessa, in modo da strisciare fino in camera da letto.

Ogni tanto le andava via la vista, e la testa era più pesante di un ammasso di mattoni. La tentazione di abbandonarsi lì e dormire era forte, ma la paura di non risvegliarsi più era altrettanto forte.

Strisciò fino in camera da letto. Suo padre non c'era, era chiaro. Doveva sbrigarsi, quella era l'ultima occasione per andare via.

Si aggrappò alla testiera del letto e riuscì a tirarsi su. Si sedette sul materasso per riprendere fiato. Se solo provava ad alzare la testa una lama le perforava il cranio. La sua vista, il suo udito, sembrava tutto indebolito.

Lentamente riuscì a tirare via il lenzuolo e a infilarci dentro dei vestiti presi a caso. Stava morendo di sete, ma non importava. Legò il lenzuolo, formando un piccolo sacco.

Appoggiandosi alla parete attraversò tutto l'appartamento, fino alla porta d'ingresso. L'idea di essere fra poco fuori di lì le diede un po' di forza, facendole aprire la porta, scendere le scale e arrivare finalmente in strada.

Aveva un solo posto dove andare.

Camminò, prendendo fiato dalla bocca, fino alla Staré Město. I passanti che la incrociavano si voltavano a guardarla. Un uomo in cilindro le chiese se avesse bisogno d'aiuto, ma Hansi non sentì neppure, e proseguì, come se avesse dovuto continuare a camminare per non morire.

La luna piena risplendeva sul selciato e le illuminava la strada.

Arrivò al palazzo di Madame Nediakina senza essere riuscita a guardarsi allo specchio.

Quando entrò venne sopraffatta dalla stanchezza. Un uomo, davanti a lei, la fissava. Le sembrò di conoscerlo, se lo ricordò piano piano.

Gli crollò fra le braccia, facendo cadere il sacco pieno di stracci. L'uomo l'afferrò. La fece sdraiare sul pavimento.

«Che è successo? Che cosa le hanno fatto?» diceva l'uomo, ma Hansi non sentiva più niente.

Intorno a loro le ragazze cominciarono ad agitarsi e a chiamare aiuto, si formò una catena di persone intorno ad Hansi e all'uomo, che le mise delicatamente la testa sulle ginocchia, cercando di farle prendere aria. Il suo sangue macchiò il cappotto dell'uomo.

Madame Nediakina si precipitò e scansò di peso il cordone di spettatori. Si piegò su Hansi, schiaffeggiandola nel tentativo di risvegliarla.

«Hansi, tesoro», gridava, e più gridava più Hansi si sentiva distante, il suono della voce di Madame Nediakina arrivava ovattato alle sue orecchie, rallentato, sgonfio, come tutto il resto.

Hansi sentiva solo una mano fredda accarezzarle la fronte. L'uomo che le teneva la testa gridò di chiamare un dottore. Si chinò, baciandole la fronte livida. Hansi chiuse gli occhi.

Seduto alla scrivania del suo ufficio, K. ordinava delle carte sulla sua scrivania prima del colloquio con il Direttore dell'Istituto.

Aveva il caso dell'operaio F.K. sottomano. Un rapporto da presentare al Direttore chiuso nella sua valigetta.

«Gregor, la soluzione è sempre stata qui, davanti a me.» Gregor l'ascoltava, sdraiato a zampe all'aria su un plico di carte ammucchiate sulla scrivania.

«Non serviva pensare a un modo per salvare tutti, non è possibile. Tu hai cercato di avvertirmi, e io non ti ho ascoltato, amico mio. Mi opprimono così tanto le sofferenze degli uomini, ma per favore, non prendiamoci in giro. Quello che volevo era che nessuno si facesse più male, e non lo volevo fare per gli altri, lo volevo fare per me stesso. Volevo che un caso F.K. non fosse mai più esistito. E invece? Invece una notte, quella notte, quella notte ho capito che cose terribili succedono per il semplice fatto di essere vivi, e non possiamo fare niente per impedirlo, perché non c'è Dio, non c'è Autorità, non c'è Padre che possa impedirlo.»

«E allora, mi dirai, dovremmo tutti tacere, e soccombere, e vivere strozzati dall'angoscia?»

«No. E questo l'ho capito tardi. Non si possono salvare tutti. È possibile salvare qualcuno però. È per questo che, da domani», K. si interruppe un momento ed estrasse il rapporto dalla valigetta, «questo sarà obbligatorio per legge sulle teste di tutti gli operai della Cecoslovacchia.» K. indicò sul progetto il disegno di una specie di casco di metallo.

Si abbassò sotto la scrivania, per riporlo. Era quasi l'ora dell'appuntamento col Direttore.

Quando rialzò la testa, Gregor non c'era più.

«Gregor?» disse K.

Alzò tutte le carte, aprì l'armadio, si chinò sul pavimento per cercarlo.

«Gregor? Dove sei andato a finire, esci fuori.»

Nei giorni seguenti continuò a cercarlo in ufficio, e poi a casa, per strada, perfino da Madame Nediakina, ma non lo trovò più.

Era già notte.

K., sdraiato sul letto, scriveva una lettera su un foglio di carta giallo.

…Ah, dimenticavo di dirti una cosa molto importante. Mio caro Max, per una volta, sento per la prima volta di aver fatto qualcosa di buono. Tu non ci crederai, ma da domani ci saranno meno operai morti nei cantieri. Ti spiegherò. Dobbiamo vederci.

P.s.: Devo parlarti di una donna. Si chiama Hansi, e posso dirti che è diventata la mia fidanzata. È bellissima. Non posso dirti altro.

A presto, per ora. Tuo,
K.

1
FINE

«Reynolds! Reynolds!» grida Edgar, sdraiato nel suo letto del Washington College Hospital. L'infermiera Molly Rodgers, senza sapere che altro inventarsi, gli bagna la fronte, cercando in quel modo così inutile e materno, di fargli tornare la ragione.

Ha solo vent'anni, l'infermiera Rodgers, e ha una paura tremenda: è giovane, non ha ancora imparato ad avere a che fare con un paziente delirante. Le serve ancora del tempo.

Entra il dottor Schlebel, correndo. È un uomo sui cinquant'anni, robusto, alto, che con la sua sola presenza è riuscito a sedare l'agitazione dell'infermiera Rodgers, che l'ha festeggiato con un sospiro di sollievo.

«Ancora?» dice, riferendosi al delirio.

Velocemente il dottor Schlebel si toglie la giacca e arrotola le maniche della camicia. Gli sente il cuore, prima dal petto, poi con due dita sulla gola. È sudato, e il suo sguardo è preoccupato.

«Credo sia ora», dice. Sono le cinque del mattino.

Un brivido di paura percorre la spina dorsale di Molly nel momento in cui il ricordo di quella notte orribile le si riaccende come una scintilla nella mente. Tutto ha avuto inizio quattro giorni prima.

Era la notte del 3 ottobre.

Nessuno sapeva chi fosse l'uomo arrivato in reparto, né tanto meno come avesse fatto a ridursi in quello stato. Era arrivato accompagnato da un paio di agenti di polizia. Era sporco e trasandato.

Il dottor Schlebel, entrando nella stanza, le chiese chi fosse il paziente. Molly rispose che l'uomo non aveva documenti. Indicò solo i suoi vestiti, piegati su una sedia di fianco al letto, come se fossero serviti a identificarlo. Il medico diede un'occhiata alla misura della camicia, l'aprì con le mani: «Sembrerebbe appartenere ad un uomo enorme, alto almeno un metro e novanta», disse. Tutto il contrario di quello visibilmente consumato che gli stava davanti e che si dimenava nel letto, gridava e sputava battendo le braccia e le gambe contro il materasso. Non poteva pesare più di sessanta chili, aveva pensato Molly, aveva il viso scavato come un malato di mente, ma la follia e il delirio dovevano per forza derivare da un male al cervello, come l'epilessia.

Il dottor Schlebel si avvicinò al letto. L'odore fortissimo di acquavite che circondava il paziente gli fece intuire la vera natura del delirio in un attimo.

«Cos'è successo?» chiese Schlebel, mentre con le braccia possenti bloccava quelle del paziente, e l'infermiera Rodgers preparava della morfina.

«L'hanno trovato per strada, era incosciente. Ce l'hanno portato che era in stato catatonico.»

«Ha bevuto l'impossibile», disse Schlebel, «dobbiamo farlo rigettare.»

«Reynolds! Reynolds!» gridava ancora il paziente.

«Chi è questo Reynolds, infermiera Rodgers?»

Lei alzò le spalle e scosse la testa.

Il medico si piegò ad auscultare il cuore del paziente. Batteva, ma era irregolare.

«Infermiera gli dia la morfina, io devo cercare di capire come ha fatto a ridursi così.» Schlebel tossì e uscì dalla stanza.

L'infermiera Rodgers non riuscì ad inventarsi niente per trattenere il medico. Era di nuovo sola.

Si avvicinò al paziente. Gli urli dell'uomo le facevano tremare i timpani. Aveva paura di farsi male. Si avvicinò con la siringa.

Improvvisamente l'uomo si bloccò e si voltò di scatto verso l'infermiera Rodgers, fissandola negli occhi. Molly Rodgers impallidì. Si bloccò anche lei, con la siringa fra le dita. L'uomo la fissò, ma il suo sguardo era vuoto come quello di un morto, le pupille totalmente dilatate, sembrava non essersi neppure reso conto di avere un essere umano davanti, aveva invece l'espressione di un uomo che stesse guardando negli occhi di un mostro.

L'uomo si mise a sedere e allungò rigidamente un braccio.

L'infermiera Rodgers fece un salto all'indietro.

Il volto dell'uomo uscì dalla luce spezzata che proveniva della finestra e si riempiva d'ombra. «Signore, aiuta la mia povera anima», sussurrò. Chiuse gli occhi. Si addormentò.

Molly rimase immobile per qualche momento. Posò delicatamente la siringa sul tavolo dei medicinali. Fece per andarsene. Sulla porta della stanza, si voltò a guardare l'uomo. Si chiese chi fosse, che vita avesse, chi o cosa l'avesse ridotto in quel modo. Chiuse la porta e sparì.

2
IL BASTARDO DI NEW YORK

Nel settembre del 1849, le strade e le piazze polverose di Baltimora venivano intasate da quel viavai furioso che aveva sempre accompagnato gli ultimi giorni della campagna elettorale e il giorno delle elezioni. I cittadini maschi erano chiamati ad eleggere il rappresentante dello Stato del Maryland che sarebbe andato al Congresso. All'abituale frenesia che caratterizzava la vita di Baltimora nei settori caldissimi della speculazione, dei trasporti e della stampa si aggiungeva quella provocata dalla lotta fra il Partito Democratico e quello Repubblicano.

La città – nel cui ventre maleodorante borsaioli, truffatori, assassini brulicavano in simbiosi come vermi alimentati dall'incertezza e dall'immaturità del Governo e dalla corruttibilità delle forze di polizia – si riempiva anche di un'altra terribile piaga sociale: quella degli agenti elettorali.

Gli agenti elettorali superavano in bassezza morale tutte le categorie di criminali della città. Organizzati in banchetti di legno improvvisati, un anno raccoglievano voti per i democratici, l'anno dopo si erano già schierati coi repubblicani. Affollavano il porto e le strade del centro, attirando l'attenzione degli elettori, con affabile gentilezza dicevano: «Signore, sembrate abbastanza intelligente da votare per i Repubblicani» oppure: «Signore, non siate stupido, venite a votare per i Democratici!» e con i loro diaframmi eccitati e le voci da venditori ambulanti importunavano ogni cittadino di Baltimora. Lì, come nel resto degli Stati Uniti, esistevano agenti talmente subdoli e spietati da andare ben oltre il semplice cambio continuo di partito: erano loro che portavano più voti ai candidati, erano loro gli agenti più finanziati dai due partiti, quelli con maggiori poteri, quelli che per magia da un gruppo di quattro elettori riuscivano a tirar fuori una decina di preferenze.

Questi particolari agenti dirigevano gli altri, assegnavano i seggi, sceglievano loro stessi i luoghi per la votazione, a volte col benestare del Sindaco e della polizia, a volte senza.

Uno di loro, l'agente più temuto di tutta Baltimora, ebbe l'idea di allestire i seggi nei pressi di bar, bettole e taverne.

Il suo nome era Charles Reynolds.

Era conosciuto lungo tutta la costa orientale.

Bastardo di New York, crebbe in un orfanotrofio a Brooklyn. Non conosciamo la sua infanzia e la sua adolescenza, sappiamo soltanto che si legò ad un gruppo di ladruncoli della zona e che fu costretto a lasciare la città quando tutti i membri vennero arrestati.

Solo, senza un soldo, sbarcò a Baltimora, che lo accolse come un figlio, lo istruì alla strada, lo trasformò nel più astuto degli agenti elettorali, e i partiti cominciarono a pagare profumatamente i suoi servizi: sapevano che nessuno raccoglieva voti come Charles Reynolds. In un modo, o nell'altro.

3
EDGAR

Edgar A. Poe era appena sceso dal traghetto proveniente da Richmond. Era il 28 settembre del 1849.

Già era scoccato mezzogiorno, e nemmeno se n'era accorto. Il porto di Baltimora, illuminato dal sole, lo accoglieva con i suoi scaricatori che urlavano alle barche in manovra. Una grossa nave mercantile in partenza e il frastuono che proveniva dai motori alimentarono il mal di testa dello scrittore, che si premette con le dita in mezzo agli occhi, traendone non molto sollievo. Dame poco vestite e poco eleganti gli giravano intorno, aspettando che lasciasse scoperta una tasca della giacca pesante che indossava – nonostante facesse ancora abbastanza caldo – per infilare le loro mani agili e rubare quello che potevano.

Edgar, che era stato praticamente in tutti i porti della costa orientale, sapeva benissimo come comportarsi: si chiuse la giacca, e mise immediatamente le mani dentro le tasche, stringendo in mano soldi da una parte, e documenti dall'altra. Le signore, dopo averlo seguito per qualche minuto, girarono presto a largo, a tormentare qualche altro nuovo arrivato.

C'era una gran confusione, anche più di quanto non fosse normale nel porto della terza città degli Stati Uniti. La maggior parte del viavai, del vociferare sfrenato e del rumore in generale proveniva da una lunga schiera di banchetti improvvisati, piccoli gazebo e tavoli di legno tremolanti che racchiudevano il porto dentro un perimetro, dietro ai quali gentiluomini in giacca e gilet richiamavano le persone cercando di attaccare conversazione.

Edgar, mentre tentava di tagliare la folla e raggiungere Baltimore Street, si sentì prendere per un braccio.

«Signore lei ha votato? Ha espresso la sua preferenza per i repubblicani? No? Non l'ha ancora fatto? Prego Mister, venga pure con me.»

Era un ragazzotto robusto, molto più alto di lui, dall'accento di fuori, doveva essere irlandese o qualcosa del genere, visto il rosso quasi arancione dei capelli e delle lentiggini sulle guance.

«Mi perdoni», Edgar, con inaudita eleganza, strappò il braccio dalla presa del ragazzotto, lo guardò e lo salutò con un piccolo movimento del capo. Continuò a camminare.

A Baltimora c'erano le elezioni, questo lo sapeva benissimo, e sapeva benissimo che era conveniente tenersi il più possibile alla larga da quegli agenti, mocciosi stranieri che, come il tale che l'aveva fermato, ti si attaccavano addosso come sanguisughe pur di farti votare per il loro partito.

Edgar tirò su il bavero della giacca nera. Oltre quella indossava pantaloni neri, una camicia bianca e un foulard rosso scuro legato al collo.

Era molto dimagrito, e la sua andatura si era fatta lenta, incerta, poteva vedere la sua ombra incespicare lungo la strada, proprio come lui.

La morte di Virginia, sua moglie, scomparsa per tubercolosi, l'aveva trasformato in qualcosa che non riconosceva neppure lui, e non sapeva dire se il cambiamento più grande fosse avvenuto nel suo aspetto o nella sua personalità, fatto sta che era così dimagrito e scavato nel volto che, quando si vedeva riflesso per caso, o allo specchio, faceva sempre un po' di fatica a riconoscersi, e il dispiacere per una giovinezza, per un'intera vita già dissipata, lo opprimeva tanto quanto il suo nuovo aspetto.

Camminando, le anime scure e tutta la frenesia della vita che gli girava intorno in quel porto, non erano riuscite a distoglierlo dai suoi pensieri. Pensare, in quel periodo della sua esistenza, gli era diventata un'azione terribilmente faticosa e sofferta. Avrebbe preferito vivere come un animale, esistere e basta, senza porsi mai alcuna domanda.

C'era qualcosa di strano, in città. Sarà stato l'effetto del caos che si portavano dietro le elezioni, ma l'aria sembrava più viva, come più carica di particelle, più densa. I rumori più forti, le voci più alte. Le strade erano affollate come se la città si fosse ristretta.

Edgar proseguiva, guardandosi sempre intorno. Percorse

un tratto di Market Street, polverosa e riempita dai banchi degli agenti elettorali.

Bettole e taverne cominciarono a susseguirsi una dopo l'altra, lo salutavano, lo facevano sentire un essere umano.

Alla vista di quei posti luridi, umidi e senza luce, Edgar si ricordò dell'unico motivo che gli stava spingendo le gambe verso il centro della città.

Entrò in un bar, si tolse il foulard e lo mise in tasca. Lui era un professionista. Un professionista del bere.

Il bar, da quando era diventato un adulto, aveva rappresentato l'unico posto al mondo in cui si sentiva veramente a casa.

L'aria era viziata, piena d'umidità che le pareti e i tavoli di legno restituivano ai clienti. Le assi scricchiolarono sotto i suoi passi. La luce, quasi del tutto assente, illuminava spezzata dalle persiane il bancone.

«Uno», disse Edgar, sedendosi su uno sgabello, e indicando al barista una bottiglia di brandy.

Il barista, forse si chiamava Chester qualcosa, un uomo basso, coi capelli lunghi e sparuti tirati all'indietro, fumando un grosso sigaro versò ad Edgar il contenuto della bottiglia.

Lui lo buttò giù in un secondo. «Un altro», disse.

Il barista afferrò il bicchiere unto e versò ancora. Fece per riporre la bottiglia.

«Un altro.» Edgar stavolta allungò il bicchiere e se ne fece versare ancora uno, poi un altro, e un altro ancora.

Fu a quel punto che il barista, Mr. Chester Venom, adesso ricordò il nome intero, non riuscì più a trattenere le parole fra i suoi pochi denti neri: «Signore, dovete prima saldare il conto».

Edgar posò il bicchiere sul bancone, facendo un rumore che attirò l'attenzione degli altri due clienti del locale, due uomini scuri che fino a quel momento avevano discusso ora sul candidato democratico, ora su quello repubblicano, su chi fosse onesto e su chi fosse un farabutto.

Tirò fuori dalla tasca della giacca un paio di banconote. Le lasciò cadere sul bancone.

«Sono lo scrittore più importante e pagato del mondo, pezzo di idiota. Pensi che non abbia soldi per pagare?»

Uscì dal locale. Il barista lo fissò, dubbioso: gli avrebbe fatto piacere intavolare una conversazione con quel tipo.

Edgar uscì, ed entrò nel bar accanto, dal quale uscì un quarto d'ora più tardi.

Uscì di nuovo ed entrò in quello più vicino.

Continuò così finché non arrivò barcollando e scontrandosi contro i passanti al suo alloggio, la casa appartenente a sua zia Marie Clemm, madre di Virginia, in Amity Street.

Salì le scale e svenne sul letto.

4
3 OTTOBRE 1849

Edgar trascorse i giorni seguenti nello stesso identico modo in cui aveva trascorso il primo. Faceva avanti e indietro per i bar di Baltimore Street, ogni tanto faceva visita al «Baltimore Patriot» e depositava un suo articolo.

Aveva smesso per ora con le letture di poesie, con l'umiliante valutazione di poemi smielati, senza tecnica e retorici che gli facevano leggere signore ricche in vestiti costosi, annoiate dall'assenza per motivi di lavoro dei loro mariti, che mascheravano la loro inettitudine con malinconie intellettuali ed esistenziali.

Sempre più spesso, in quei giorni, nei momenti in cui era

in grado di riflettere, Edgar si chiese come mai nelle città degli Stati Uniti ci fosse così tanta abbondanza di penne, e così poca competenza nell'usarle. La scrittura, per quelle signore, non era altro che una mera velleità, che studiavano per darsi un tono, e Edgar, che veniva pagato per leggere quelle poesie e per valutarle, doveva sempre rivolgere loro i migliori complimenti o le critiche più velate e innocue possibili, affinché non urtasse la sensibilità di quelle signore, mogli di direttori di giornale, editori, ricchi imprenditori.

Quel giorno, mentre camminava per una strada di cui non ricordava più nemmeno il nome, dopo aver bevuto più o meno un litro di brandy, Edgar si sentì stranamente a suo agio nel mezzo della calca cittadina, del trambusto elettorale che l'aveva sempre disgustato. Dalle strade la polvere si alzava compatta, e nascondeva i dolori, gli affanni e l'ubriachezza degli uomini, li copriva con un velo affinché sembrassero meno turpi, meno insopportabili: proprio come faceva il brandy.

Cominciò a contare i numeri civici affissi o dipinti ai lati dei negozi e delle taverne.

«102, 104, 106…» diceva, sottovoce, proprio come, da bambino, imparava la matematica nel cimitero comunale di Boston contando le lapidi e sommando e sottraendo le date di morte a quelle di nascita, per scoprire quanto il titolare della lapide fosse rimasto in vita. Sin da quand'era bambino preferiva di gran lunga i morti ai vivi.

I vivi, in quel caso, erano i popolani di Baltimora e gli agenti elettorali che spintonavano, gridavano. Di colpo la realtà lo stordì, l'effetto dell'alcol cominciò ad allontanarsi, e la realtà piombò dura e pesante sulla sua testa. Succedeva sempre così: la realtà supera in bruttezza anche il peggiore degli incubi.

Edgar sapeva come evitare la folla e tornare all'euforia leggera di poco prima: entrò in un altro bar. La cosa comune ai bar delle città in cui era stato, quelli di Boston, di Richmond, di New York, e quelli di Baltimora, era che sembravano fatti per essere tutti uguali, per accogliere lo stesso tipo di persone, come se dentro di loro raccogliessero e ospitassero per un po' la disperazione di questo giovane popolo americano pieno di rabbia, armato e alcolizzato, lasciando fuori la borghesia puritana, che girava in carrozza per le strade dei centri città con la morale ferrea nel cuore, la bibbia nella mano sinistra e la pistola nella destra.

Edgar bevve finché non svuotò completamente le tasche. Non aveva più un dollaro. Il titolare del bar chiamò il figlio diciottenne e insieme gli sfilarono dalle mani la bottiglia di Scotch, lo presero di peso e contando fino a tre lo buttarono fuori dal bar.

Nella caduta si era fatto male a un braccio. Non importa, questo per lui, un bevitore professionista, non rappresentava certo un problema. Tutti lo guardavano, esterrefatti, come se non avessero mai visto un ubriacone lanciato via da un bar.

Il vero problema erano i soldi che aveva finito. La sola idea di non poter bere lo colpì al cuore, sentì qualcosa di pesante che si posava sul suo petto, gli pungeva la testa come un ago, gli strappava l'aria da sotto le narici.

Camminò, vagando come un cieco per il centro di Baltimora, finché, senza sapere come, si ritrovò in Lombard Street.

Si guardò intorno, disperato. Poi, d'un tratto, qualcosa attirò la sua attenzione, e la disperazione, l'angoscia, il panico passarono: in un attimo aveva trovato la soluzione al suo problema.

5
CHARLES REYNOLDS

Non si arrivò ad una maggioranza. Il che voleva dire che si sarebbe andati al ballottaggio, e che per le strade di Baltimora si sarebbe scatenato l'inferno.

Gli agenti elettorali cominciarono a imitare in tutto e per tutto i metodi di Charles Reynolds. Il caos che si scatenò nel periodo più caldo delle elezioni, raggiunse in poco tempo le orecchie del sindaco e del capo della polizia, che, inizialmente, sottovalutarono la cosa, attribuendo le segnalazioni che arrivavano ogni minuto alla fantasia dei cittadini di Baltimora, o alle maldicenze che i partiti si scagliavano tra loro.

In quei giorni di fuoco i bar, adattati a vere e proprie cabine elettorali, divennero sempre più pieni, e i voti si moltiplicavano, incontrollati.

Quel giorno Reynolds dovette spostarsi più volte, vista la presenza di agenti di polizia che, con le loro divise blu a doppio petto, camminavano in gruppi, cercando di sgombrare le strade del centro e al contempo di controllare lo svolgimento delle elezioni.

Arrivò in Lombard Street, alla taverna Gunner's Hall, appena allestita a seggio elettorale.

Sapeva già cosa fare: per prima cosa chiamò il suo assistente Sweenie, che preparò il tavolo e la sedia di legno, le carte, l'inchiostro e il calamaio. Reynolds attese che finisse, poi lo chiamò a sé e gli fece convocare l'agente di polizia che perlustrava la zona.

«Volevo solo assicurarmi che questa zona resti tranquilla», disse.

«So tutto, signor Reynolds. La proteggerò io», rispose presto il poliziotto.

Reynolds cominciò a ridere. «Non intendevo questo, amico mio, io volevo chiedervi se fosse possibile che voi vi allontaniate, adesso, in questo preciso istante.»

«Mi è stato ordinato di perlustrare la zona, Signore. Nient'altro.»

«Bene, bene, infatti voi perlustrate pure... ma dimenticatevi di me, e di questa taverna alle mie spalle. Intesi?» Reynolds, finendo la frase, estrasse dalla tasca un rotolo di banconote. Le gettò sul tavolo.

Il poliziotto abbassò il volto, si guardò intorno, nel caso ci fossero colleghi nelle vicinanze, e, una volta accertatosi fosse tutto tranquillo, infilò i soldi in tasca. Senza dire una parola sparì fra la folla.

«Sweenie?» Reynolds chiamò il ragazzo e indicò un signore che, lì davanti a loro, leggeva un giornale, appoggiato al muro.

L'uomo seguì Sweenie, incuriosito: sperava gli offrissero dei soldi per votare.

Reynolds cominciò coi soliti convenevoli, poi tirò fuori la sua bottiglia di whisky e la poggiò direttamente sul tavolo, forte del disinteresse dell'agente di zona. Versò un bicchiere, lo riempì fino all'orlo. L'uomo, sorridendo, lo buttò giù tutto d'un fiato.

Sweenie accompagnò l'uomo nella Gunner's Hall, da cui sarebbe riuscito solo un paio d'ore più tardi, non reggendosi più sulle proprie gambe.

Da lontano, un uomo fissava Reynolds e il suo banchetto.

Reynolds lo notò. Era un tipo strano. Era molto magro, scuro in volto, vestito quasi completamente di nero. «Sweenie?» gridò.

6
IL VOTO

Edgar non poté credere ai suoi occhi. Ti facevano bere gratis! E cosa ti chiedevano in cambio? Soltanto un misero voto. E può un voto valere quanto una sorsata di liquore? Sì, eccome.

Si avvicinò quasi correndo al tavolo di quel signore alto, leggermente curvo, dallo sguardo acceso e incredibilmente vispo. Doveva essere uno di quei tizi che raccolgono i voti per i partiti. Li chiamavano agenti elettorali.

Edgar si sedette, senza aspettare che l'agente elettorale lo invitasse a farlo.

«Voglio votare per i repubblicani», disse, «non voglio più democratici al Congresso, voi capite. Fatemi votare immediatamente.»

L'uomo davanti a lui sorrise. «Certo, certo, ma come corre! Ecco, favorisca pure…»

«Grazie», disse Edgar. Buttò giù il liquore direttamente dalla bottiglia, senza dare il tempo all'agente di versarglielo nel bicchiere.

Fece per restituire la bottiglia. L'uomo gli disse che poteva tenerla. Edgar la bevve tutta.

Gli sembrò che quell'agente non riuscisse a distrarsi da lui. Lo guardava con gli occhi stretti, come per studiarne ogni minimo dettaglio, movimento, per scrutarne l'interno.

«Come si chiama?» gli chiese.

«Chi?»

«Lei, come si chiama?»

«Edgar. Edgar Allan Poe. Sono uno scrittore. Ha mai letto le mie opere?»

«No.»

«Le mie poesie?»

«Nemmeno. Ma non leggo molto, Mister, sarò sincero.»

«Lei come si chiama?»

«Reynolds. Charlie Reynolds. Come vede, mi occupo di qualcosa che ha ben poco a che fare con la sua arte.»

«Non direi. Reynolds, ha detto? Le nostre professioni sono simili. Lei fa in modo che la gente esprima il proprio diritto tramite il voto, io faccio in modo che il mio lettore esprima se stesso tramite le mie parole. Potremmo essere uguali noi due. Io…»

D'improvviso comparve un ragazzo alto e robusto, lentigginoso, irlandese.

«Mi ha chiamato Mr. Reynolds?» disse, con molto riserbo. Trattava quel Reynolds come fosse il suo padrone. Questa cosa era decisamente buffa. Edgar si mise a ridere.

Charles Reynolds venne distratto per un momento dalla risata immotivata del suo ospite, di cui fra l'altro già aveva dimenticato il suo nome. Decise che l'avrebbe chiamato solo "Scrittore".

«Oh, sì Sweenie, ma non mi servi più. Questo davanti a noi è uno scrittore, sai, voglio accompagnarlo personalmente.»

«Accompagnarmi dove?» disse lo Scrittore, improvvisamente fattosi serio.

Reynolds indicò la locanda alle sue spalle.

«Venga con me. Le offro da bere. Sweenie, dammi il cambio.»

Poe, preoccupato, infilò le mani nelle tasche. «Non ho un soldo, Mr. Reynolds», disse.

«Le offro da bere, gliel'ho detto. Lei non si preoccupi e venga con me.»

Reynolds gli poggiò la mano sulla spalla e lo accompagnò all'interno della Gunner's Hall.

La Gunner's Hall era una taverna tra le più famose di Baltimora. Al suo interno, una grossa sala riempita da trofei e bandiere dello stato, bandiere repubblicane, un lungo bancone di legno laccato, delle scale che portavano ad una cantina sotto le assi di legno.

Il barista puliva energicamente i boccali, e guardava lo Scrittore con aria sospettosa. Lo Scrittore, evidentemente eccitato dall'alcol, ricambiò lo sguardo.

Reynolds chiuse la porta a chiave.

«Perché ha chiuso, Mr. Reynolds?» chiese lo Scrittore, non tanto allarmato quanto curioso.

«Be', per goderci di più la bevuta, mio caro scrittore. John, questo qui è uno scrittore. Dagli da bere!»

John, il barista, posò il boccale e, lentamente, versò in un grosso bicchiere un doppio brandy. Lo lanciò lungo il bancone, Edgar lo afferrò al volo e bevve.

«Ancora», disse. John guardò Reynolds, che annuì. Ne servì un altro, che Edgar buttò giù in pochi secondi.

Adesso era il momento. Reynolds porse la scheda elettorale al suo ospite. «Prego. Vuole votare?» disse.

Lo Scrittore impiegò qualche minuto per capire. «Ah già», disse. Reynolds lo fece accomodare nello stanzino, dietro al bancone.

Mentre aspettava, Reynolds prese una bottiglia di Scotch, e ci versò dentro una polvere bianca, che teneva chiusa dentro una fialetta.

Lo Scrittore uscì, barcollando. Consegnò la scheda a Reynolds, che la controllò. Bene, aveva votato. Adesso doveva per forza cambiargli i vestiti.

8
DAMMI DA BERE!

Dopo aver esaminato la scheda elettorale, Reynolds aprì le porte della taverna e chiamò il suo assistente gridando: «Sweenie! Vieni qui!»

Quello, velocemente come poco prima, entrò nella taverna. Si tolse il cappello, per educazione. «Sweenie, aspettaci in cantina.» Il ragazzo, senza dire una parola, obbedì.

«La prego, signor…»

«Poe. Edgar Allan. Lei è tremendamente ignorante», rispose Edgar.

Reynolds sorrise. «Lo so, e me ne dispiaccio, ma che volete farci. Piuttosto, che ne dite di un altro?» e indicò una bottiglia di scotch incustodita lasciata lì, sul bancone.

Edgar non disse una parola. Si avvicinò al bancone, tolse il tappo alla bottiglia e bevve. Ormai gli pareva di non avere più il controllo del suo corpo. Tutti i suoi movimenti, i suoi gesti, le sue parole, appartenevano a qualcun altro. Non si era mai sentito così ubriaco, e in così poco tempo.

Cominciò a vedere tutto rallentato. Vide Reynolds che lo accompagnò giù per le scale. Davanti a lui c'era l'assistente Sweenie. Gli tolsero la giacca. Poi il foulard. Poi la camicia. Sweenie tolse la sua e la consegnò a Reynolds, che la infilò a Edgar. Si scambiarono perfino i pantaloni. Adesso Edgar sembrava uno spaventapasseri, indossava vestiti di due o tre taglie più grandi dei suoi.

Edgar non si ricordò dei documenti rimasti nella sua giacca, non si ricordò neppure che dentro una delle tasche interne c'era un vecchio ciondolo che Virginia gli aveva regalato prima di sposarsi. Edgar dimenticò ogni cosa. Riusciva solo a seguire Reynolds, che lo guidava come si fa con un cane.

Reynolds lo accompagnò fuori. Camminarono un bel po'. Edgar incespicava appoggiato al suo nuovo amico. Progressivamente tutto cominciò a diventargli sfocato, i rumori più sordi, lontani, quello che succedeva a un centimetro dal suo naso sembrava stesse succedendo dall'altra parte dell'Oceano Atlantico. Le persone in carne ed ossa non erano diventate altro che ombre, macchie scure su una tela, fantasmi, anime morte. Il cielo sopra di lui era diventato magicamente più scuro, il sole nero, solo ombra, solo nulla intorno. Il campo visivo si restrinse talmente che tutto quello che Edgar riusciva a vedere era solo un microscopico punto di luce stretto tutto intorno dal buio, lontanissimo ed impossibile da raggiungere.

Un paio di schiaffi ben assestati lo svegliarono, e lo riportarono in vita. Era stato Reynolds. Edgar si ritrovò con una nuova scheda elettorale da segnare con una X e una nuova penna in mano. Non si trovava più alla Gunner's Hall, era in un posto diverso. Ci mise un po' a rendersene conto. Lentamente, senza capire perché lo stesse facendo, segnò le linee oblique che avrebbero formato la sua X.

Davanti a lui, improvvisamente, comparve il volto di sua moglie Virginia. Quel volto bellissimo, quei capelli di cui gli sembrava di sentire l'odore, le mani, di cui credé di sentire il tocco sul viso, le labbra, che si sentì incastrate fra le sue. Il volto di Virginia lentamente diventava più scuro, la pelle si seccava, gli occhi si facevano più grandi, le labbra, le mani si consumavano, i capelli cadevano, l'intera figura di Virginia si decomponeva in quel nulla che gli stava intorno, sopra la X della scheda elettorale, cadeva a pezzi, piano, lentamente, come tutte le cose che esistono, finché di lei non rimase più nulla, se non il ricordo, se non una X tremolante su un foglio bianco.

Edgar poté sentire il cuore esplodergli dentro il petto, in

quel preciso momento. Chiamò aiuto ma dalla sua bocca sembrò non uscire alcun suono.

Arrivò Reynolds, prese la scheda elettorale. Afferrò Edgar per un braccio. Lo Scrittore ricominciò a vedere. Si voltò a guardare Reynolds negli occhi. «Cosa mi hai fatto?» avrebbe voluto chiedergli. «Dammi da bere!» gridò invece.

9

SWEENIE

Uno sguardo scambiato di troppo. Poteva bastare questo a mandare all'aria tutto. Reynolds avrebbe voluto fermarsi, salvare quel poveretto che aveva narcotizzato, finché era in tempo. Ma, qualcosa dentro di lui, gli diceva di non fermarsi, di continuare, perché con quel povero Cristo i suoi superiori avrebbero guadagnato tre, quattro, cinque, sei e chissà quanti voti in più. No, non poteva finire così.

Reynolds rimise in piedi lo Scrittore, e gli diede un altro sorso di Scotch. Non sapeva più quanto gliene stava dando ormai, non sapeva quanto il narcotico l'avrebbe danneggiato, non sapeva nemmeno che roba fosse. Sapeva solo che faceva fare alle persone quello che diceva lui.

Di forza lo portò fuori da quella taverna in fondo a Lombard Street e gli fece fare il giro degli isolati, facendolo votare in altri sei bar. Aveva ottenuto tutti quei voti da una persona sola.

«Fammi bere, ancora, dammene ancora», diceva lo Scrittore.

Fu a quel punto che Reynolds si chiese che forse questo era quello che volevano entrambi: lui aveva bisogno di voti, e lo Scrittore gliene stava dando. Lo scrittore, invece, cercava la morte, ed era quello che Reynolds gli stava dando.

La luce se n'era andata, era già sera. Si accesero le lanterne, accese ad oltranza per le ultime ore di votazione. Un paio di poliziotti fermarono Reynolds e gli chiesero che cos'avesse il suo amico, che sembrava a malapena in grado di camminare. «Ha avuto una discussione con la moglie, sapete, ha questo vizio. L'ho pescato alla Gunner's Hall. Sto cercando di farlo muovere, sapete, era ubriaco come una spugna.»

«Chi è?» gli chiesero.

«Non lo so, agenti illustrissimi.»

«Documenti? Ce li ha?»

«No signori. Non ne ha. Non ha nemmeno la giacca, questo poveretto, vedete?»

I due agenti squadrarono il pover'uomo e si impietosirono.

«Andate pure, ma lo riporti alla Gunner's Hall, dove l'ha trovato. Magari sua moglie lo starà cercando, adesso.»

«Subito, subito signori. Arrivederci e buonanotte.»

La trovata della moglie. Neanche se ci avesse pensato un paio di giorni ci sarebbe arrivato.

Reynolds si complimentò con se stesso.

Affaticato, raggiunse la Gunner's Hall riuscendo a fatica a tenere in piedi lo Scrittore.

Non appena l'assistente Sweenie lo vide, gli si fece incontro, pensando avesse bisogno di aiuto.

«No, no, Sweenie, sta fermo. Tu prendi tutta questa roba e andiamo via alla svelta, sbrigati. Non mi guardare.»

Sweenie, con la coda dell'occhio, vide Reynolds lasciare l'uomo in terra, e gli parve di sentire la voce dello Scrittore dire qualcosa che non riuscì a decifrare. Poi, indossati i vestiti di fortuna che gli aveva fornito John della Gunner's Hall, praticamente una divisa da portalettere recuperata chissà da chi e chissà dove, piegò il tavolino di legno, la sedia, recuperò le schede elettorali, scese in cantina, prese i vestiti dello Scrittore, avendo cura di non far cadere i documenti, e, con l'aiuto di John, salì in una carrozza insieme a Reynolds, sparendo insieme a lui. Se ci fosse stato un inferno, di sicuro ci sarebbero andati insieme, pensò il giovane Sweenie.

10

VIRGINIA

«Virginia, tu sai dirmi com'è la fine di tutto? A cosa somiglia, dove va a finire la tua anima quando tutto finisce? Ho bisogno di bere. La mia anima ha sempre sete, è un mostro insaziabile. Mi manchi tanto. Sei il mio unico amore, lo sei sempre stata e lo sarai sempre. Virginia io ti ho conosciuto quando ancora non sapevi intendere, quando ancora non avevi coscienza del mondo, e io già bevevo, ero già sporco, già sentivo che quella macchia nera che era dentro di me si spandeva lenta e oleosa, e, lentamente, invadeva la parte sana del mio corpo, distruggendola. Tu, Virginia, sei stata l'antidoto a questo veleno, sei stata la mia compagna.»

Edgar, sdraiato con la testa su una pietra, delirava, non vedendo più nulla se non il buio. Pensava di essere morto.

«Spente sono le luci! Tutte spente!» gridava. «E sopra quelle abbrividenti forme ecco! Il velario, funebre lenzuolo, precipita in un rombo di tempesta. Gli angeli, tutti, pallidi e allibiti, si levano, svelandosi, e affermando che la tragedia è intitolata "L'Uomo" e che il suo eroe è il Serpente Vittorioso.»

I pochi passanti lo evitavano, spaventati dalle sue urla che rimbombavano nella strada appena svuotata.

La fine sarebbe giunta di lì a poco. A Edgar era rimasta

quel poco di ragione per capirlo. Era arrivato ad un punto dal quale non sarebbe più tornato indietro. Tutto finiva, e non c'era rimedio. In un lampo che somigliò ad un ragionamento pensò che, se avesse potuto scegliere, avrebbe preferito crepare su un marciapiedi, piuttosto che vecchio e storpio, in un letto di malattia.

Chiuse gli occhi.
Qualcuno lo stava sollevando dalla strada.

11
JOSEPH W. WALKER

Joseph Walker tornava a casa dalla sua tipografia.

Camminando, osservò i pub riempirsi, e la calma riprendere in mano la città. Mr. Walker odiava le elezioni, portavano trambusto e il trambusto era nocivo per gli affari.

In quella settimana praticamente non aveva lavorato. Aveva soltanto terminato un lavoro che aveva in programma da tempo: la stampa di alcuni libretti di poesie scritte da un gruppo di studenti. Che cosa dovessero farci poi, lui proprio non lo sapeva. Forse servivano a conoscere qualche ragazza, immaginò, ma immaginò anche che non fosse possibile pensare di poter recitare a una ragazza poesie così scontate, enfatiche, melense, così scopiazzate dai soliti sonetti di Shakespeare. Insomma, neppure a una ragazza sorda sarebbero piaciute.

Mr. Walker era un appassionato lettore di poesia, in particolare seguiva con molta costanza le nuove pubblicazioni americane, leggeva il «Baltimore Post», leggeva Edgar Allan Poe. Se tutti quegli studentelli da quattro soldi avessero avuto soltanto un briciolo del suo talent…

Quasi gli venne un infarto. Un uomo giaceva a terra, mezzo morto, mentre gridava cose senza senso. Fece per sorpassarlo, senza nemmeno voltarsi. Queste cose a Baltimora succedevano tutti i giorni.

«Spente sono le luci! Tutte spente!» gridò improvvisamente l'uomo.

«E sopra quelle abbrividenti forme ecco! Il velario, funebre lenzuolo, precipita in un rombo di tempesta…» Joseph Walker finì la poesia, sussurrandosela. Era Poe! Quel poveretto stava recitando Poe! Doveva essere proprio un bel tipo, forse un accademico, forse un giovane poeta.

Mr. Walker si chinò per avvicinarsi al viso dell'uomo. Cadde per terra dallo spavento, una fitta gli attraversò il petto e gli intorpidì il braccio.

«Dio santissimo onnipotente!» Quello davanti a lui, accasciato sul marciapiedi, era Edgar Allan Poe.

Walker cominciò a scalpitare. Non sapeva che fare. Afferrò Edgar e lo sollevò dolcemente da terra. Gli appoggiò la schiena contro il muro. Era svenuto, aveva perso i sensi, forse.

I suoi vestiti erano luridi e incredibilmente grandi, come se il suo corpo si fosse inspiegabilmente rimpicciolito, i capelli sporchi come il suo viso.

«Mi sentite?» disse, dandogli un leggero schiaffo. Gliene diede un altro, e un altro ancora.

Edgar, di colpo, spalancò gli occhi. Walker morì di paura, si portò una mano sul cuore.

«Dr. Joseph E. Snodgrass», disse Edgar, niente di più.

Walker lasciò Edgar e corse verso la stazione di polizia più vicina, avvisando gli agenti. Nel frattempo si fece scrivere una lettera, indirizzata al Dr. Joseph E. Snodgrass, nella quale comunicò che lo scrittore Edgar Allan Poe veniva trovato in stato confusionale, e in bisogno di immediata assistenza.

Lasciò la stazione di polizia e tornò indietro, verso Edgar, e fu colto da un enorme dispiacere nel constatare che gli agenti lo stavano già portando via.

«Dove lo portate?» chiese Walker.

Lo portavano al Washington College Hospital. Walker fece per seguire gli agenti, poi ci ripensò. Rimase fermo, a guardare Edgar Allan Poe, il suo scrittore e poeta preferito, che con le braccia sulle spalle degli agenti veniva portato via, inghiottito dal buio della città. Destinato a morire. Delirante. Senza nessuno che sia venuto a sapere che quell'uomo era il più grande scrittore del mondo. Solo. Come nei suoi incubi. Solo, come nei suoi racconti. Solo, come tra i suoi demoni di vetro infranti nel sogno di una bottiglia che lo rincuorasse e che lo portò alla morte. Una morte anonima, come il peggiore degli ubriaconi. Come in una delle sue storie.

Chiamatemi Ernestina. Alcune ore fa «non importa quante esattamente» ho deciso di farla finita e spararmi un colpo in testa.

Sono qui, seduto al tavolo della cucina, ad aspettare la fine di tutto.

Ma ho voglia di parlare. Il fucile che stringo fra le mani mi sussurra che è il momento giusto per raccontarvi qualcosa.

Sono nato a Oak Park, Illinois, nel 1889.

Non ho molti ricordi della mia infanzia. Non ho aneddoti o eventi particolari da raccontare. Credo che se anche ne avessi sarebbero poco interessanti.

Ho memoria solo delle persone con cui ho avuto a che fare, dei miei genitori, di quello che ero e di quello che volevo essere.

Mio padre era un medico. Adesso la sua immagine da giovane mi appare sfocata come quella di qualche persona incontrata solo una volta nella vita. Mi sforzo di ritrarlo nella mia mente, di disegnarne in modo disordinato i tratti del viso, la barba, gli occhi.

Papà, ricordo che da bambino ho desiderato tanto essere come te. Volevo essere già un Uomo.

Ho passato la vita a cercare di diventarlo. Sai, non sono sicuro di esserlo mai stato.

Pensavo che da un giorno all'altro mi sarei svegliato e sarei diventato uguale a te. Che avrei assunto i tuoi comportamenti, la tua gestualità, la forza delle tue braccia.

Mi portavi nel Michigan. È lì che ti vedevo pescare, cacciare. È lì che ti ho amato di più, insieme alla natura che ci stava intorno. A te devo il mio interesse per qualsiasi tipo di storia. Me ne raccontavi a centinaia, ti ricordi? Storie di animali feroci, di cacciatori, di guerrieri mai esistiti. Ricordo con tenerezza quando perdevi il filo e ti inventavi il finale.

Mi hai fatto amare la terra e il mio fucile.

Posso dire che la mia volontà fosse sempre stata, e forse è tuttora, quella di imitarti in qualsiasi cosa. Adesso mi verrebbe da chiederti se approveresti mai la mia vita. O quello che ne ho fatto.

Ti sei sparato quando avevo ventinove anni. Ma tu non usasti un fucile, papà. Almeno in questo ti ho superato.

Ecco perché ho passato la vita a fare cose da uomini veri. Ma mi sono sempre posto, nei confronti delle risse, del sesso, della guerra, della caccia, delle corride, come un esterno, come un novellino che si cimenta per divertimento in qualcosa che non gli appartiene. Ecco è esattamente quello che ho fatto, forse con una sola differenza: io non credo di essermi divertito. In fondo non c'è rimedio alla vita.

È luglio, l'aria è calda e umida, è così pesante che non si fa prendere, mi pesa nei polmoni. Mia moglie Mary dorme. Ha lasciato le chiavi sul tavolo della cucina. Lei non sospetta nemmeno che io le abbia trovate. Povera, imbecille, piccola Mary: non potevi nasconderle meglio?

Sento le lancette dell'orologio scandire i secondi, e questo non l'ho mai sopportato. Ho la fronte e le mani sudate, il cuore che batte più veloce dei secondi.

Accarezzo il fucile. Lo apro, guardo dentro le canne vuote, orbite profonde da cui ho visto la mia selvaggina morire.

Ho la sensazione di aver vissuto la maggior parte della mia vita nel tentativo di sbarazzarmi dei ricordi d'infanzia, e adesso, proprio in questo esatto momento, ho maturato la certezza di non essere riuscito nemmeno in questo.

Tutto quello che ho scritto, che ho fatto, le persone che ho conosciuto, tutto quanto di cui ho memoria galleggia nella mia mente come una barca dispersa in mezzo all'oceano, e la guida soltanto un vecchio, un illuso. Sino a oggi ho sempre creduto che l'uomo non sia fatto per la sconfitta. Un uomo può essere distrutto ma non sconfitto. Da tempo non ho più fede. È il grande inganno, la saggezza dei vecchi. Non diventano saggi. Diventano attenti. Io non lo sono mai stato. E certo non voglio diventarlo adesso.

Ho subito tanti di quegli elettroshock che non ricordo quasi più nulla. Mi sembra che la mia vita sia passata come un pugno di sabbia attraverso un setaccio: i miei giorni migliori, insieme ai momenti più felici, sono le parti rimaste sulla retina. Quello che è filtrato è solo un mucchio di sabbia indistinta su cui è impossibile camminare, andare avanti o tornare indietro: puoi soltanto affondare.

Ho sempre inseguito con un certo furore quello che secondo me fa di un uomo un Uomo. Come la caccia. Quella sì che è una cosa da uomini, quella è sempre stata qualcosa da uomini.

Come prendere un pugno in faccia. L'avete mai fatto? Vi è mai capitato di essere picchiati?

Tutti dovreste essere picchiati almeno una volta nella vita. La faccia diventa di gomma, incassa i pugni come un pugile alle corde, il vostro stomaco si fa d'acciaio, e l'adrenalina, la paura, l'eccitazione bloccano il dolore, lo tengono chiuso in una gabbia, ed è in quel momento che sarete immortali: non vi ricapiterà mai più.

Sento Mary tossire dalla stanza da letto. Penso quello che penso ogni volta che la sento tossire: perché non te la curi, quella tosse del cazzo? Sentirla così mi disturba, mi rende nervoso, quasi quanto ricordare il tempo in cui l'ho amata.

Ho amato tutte le donne che ho avuto, intensamente, come se ognuna fosse stata l'ultima della mia vita. Ho avuto quattro mogli: Hadley, Pauline, Martha, e Mary, che dorme di là.

A loro ho sempre nascosto Ernestina.

Tutte loro «anche Mary, ci scommetto, non me lo dice solo perché non siamo ancora arrivati al punto di detestarci» soffrivano la mia durezza, o meglio, la odiavano, la disprezzavano, perché sapevano di cosa si trattava.

Certe volte penso che la mia maledizione sia stata aver incontrato solo donne intelligenti.

Martha, di tutte sei quella che ho amato di più. Perché di tutte sei quella che mi ha dato più problemi. Ti ricordi quel pomeriggio in cui mi hai detto che i coraggiosi non hanno bisogno di essere crudeli come sono stato io con te, che a volte possono anche essere gentili? So che adesso faccio fatica a ricordare anche il mio nome, ma ricordo con strana precisione tutto quello che le mie donne mi abbiano mai detto. Martha, tu mi dicesti che mi atteggiavo a uomo duro per sentirmi autorizzato ad essere cattivo. Mi feristi molto quel giorno, anche se non te l'ho mai detto, e non lo saprai mai.

«Sei intossicata dal tuo lavoro», Ti dissi. E tu mi hai dato del narcisista abietto.

«Non sei presente che fisicamente. Hai bisogno di me solo per la casa, per scopare, per giocare a tennis. Tra di noi, ormai, non c'è comunicazione.»

Avevi ragione.

Mia cara Martha, potessi tornare indietro ti direi di calmarti: non sono mai stato gentile con nessuna delle mie mogli. Eravate tutte le donne che volevo, nel senso che volevo possedervi, schiacciarvi. Ma, voi che leggete, non pensate male di me, non sono uno di quelli che esercita violenza sulle proprie donne per trarne piacere, anche se a volte è successo. E non sono mai stato neppure un marito ossessivo. Quello era semplicemente l'unico modo che conoscevo di amare una donna.

Le picchiavo. Non direi sempre, ma è successo diverse volte. La mia teoria a quei tempi era che le donne capissero solo la brutalità, ne fossero coinvolte, a volte persino eccitate. Le mie mogli, lo dico adesso che non ha più senso raccontare storie, meritavano di essere picchiate. Questo lo credo fermamente.

Adesso guardo il mio fucile, lucido, possente: mi domando come mai Mary non l'abbia mai usato contro di me. In un certo senso, però, immagino non sia casuale l'aver lasciato le chiavi dell'armeria in cucina. Poteva stare più attenta, nasconderle meglio, visto che ho già rubato il fucile in passato. Forse lei è la prima a volere che vada a finire così. Non mi sorprenderebbe poi più di tanto.

Riconosco di non essere stato il migliore degli amanti.

«Tu sei totalmente inadeguato Ernest», diceva Pauline, la mia seconda moglie.

«Hem», le rispondevo, «forse è un tuo problema.»

Credo di aver sempre subìto il fascino delle donne, più che averne goduto. Come segretamente ho sempre subìto le loro intelligenze, le loro iniziative, i loro desideri. Come ho sempre subìto mia madre.

Penso spesso che se non avessi saputo scrivere, questo grilletto l'avrei premuto tanto tempo fa.

Forse anche se avessi saputo che sarei finito così, vecchio, consumato dal diabete e senza più memoria, senza voglia di respirare e costantemente spiato dal governo americano.

Avrei preferito di gran lunga morire giovane.

Il mio stato di salute mi ha ridotto a una specie di vecchio pezzo d'arredamento di questa casa di Ketchum, un comodino vuoto lentamente divorato dalle tarme che a malapena si regge sul pavimento.

Strano. Sono qui seduto in cucina da mezz'ora, ad accarezzare il fucile, e non trovo niente di meglio da fare. Estraggo le due grosse pallottole da una vecchia scatola di sigari cubani. Armo il fucile e lo disarmo. Lo faccio un altro paio di volte. Gioco con le pallottole, passandomele fra le dita, facendole rotolare sulla superficie scura del tavolo.

Se mia moglie si alzasse adesso e mi trovasse qui con il fucile penserebbe che sto per spararle.

Possibile non trovi niente di meglio da raccontare del rapporto ambiguo con i miei genitori e delle mie inadeguatezze come marito?

Credo che questi due elementi abbiano condizionato

tutta la mia vita. Tutto il resto è solo qualcosa di contorno. Le uniche cose di cui vado fiero sono la mia scrittura, le mie opere, i miei racconti, i miei articoli.

Ho scritto tanto perché ho vissuto tanto, ma non penso che se avessi vissuto meno intensamente, se avessi visitato meno posti, se avessi conosciuto meno gente, se avessi avuto meno donne, non penso che sarei stato uno scrittore peggiore, anzi: certe volte mi chiedo che scrittore sarei stato se fossi vissuto tranquillo, nella mia villa, non so, nel Colorado, e fossi uscito di tanto in tanto a sparare ai daini per sport.

Ma non fa per me. Dopo un po' la normalità comincia a puzzare di morte, e ti ritrovi nella bara senza essere in grado di riconoscere la differenza da quand'eri vivo.

Ecco, questo è forse un altro merito che posso riconoscermi: quello di non essermi neppure mai annoiato. O almeno fino a qualche anno fa.

Il motivo per cui adesso ho deciso di spararmi è che, per la prima volta in vita mia, mi sento annoiato. Passano i giorni, e io non so cosa fare. Il lato ironico è che se anche sapessi cosa fare, probabilmente non potrei farlo.

Posso solo stare qui seduto a scrivere, se ci riesco, a leggere, se non ho troppo mal di testa, o a sentire Mary ciarlare delle sue inezie. Questo, purtroppo, non posso proprio evitarlo.

Fra i tanti flash che saltellano nel mio cranio come diavoli dispettosi, quelli che riguardano mia madre occupano gran parte delle mie giornate.

«Ernestina, vieni a giocare con le tue sorelline.»

«Ernestina, non fare rumore.»

«Ernestina, mangia tutto tesoro mio.»

«Enrestina, vieni ad aiutare la mamma.»

«Ernestina, Ernestina, Ernestina.»

Purtroppo sono nato maschio. Lei non mi avrebbe voluto così. O forse non mi avrebbe voluto affatto.

A lei piacevo molto di più quand'ero ancora così piccolo da non essere niente. Mi avrebbe voluto per sempre modificabile come un mucchio d'argilla, in modo che lei potesse fare di me ciò che credeva giusto.

Silenziosa, osservava continuamente me e mio padre. Non partecipava mai alle nostre attività. Avrebbe voluto che passassimo più tempo insieme. Avrebbe voluto spazzolarmi i capelli, vestirmi come piaceva a lei, chiamarmi in quel modo che non sono mai riuscito a cancellare dalla mente, malgrado abbia fatto di tutto perché sparisse.

Avevo capito già da bambino che il mio nome così com'era non le andava bene, aveva il difetto di essere un nome maschile, mentre lei avrebbe voluto avere un'altra ragazza a cui badare. Quando mi chiamava in quel modo, in un certo senso, lo diventavo.

All'inizio mi sembrava un gioco strano. Pensavo fosse qualcosa che la facesse divertire, e allora la assecondavo. Era per me ancora qualcosa di innocente e inconsapevole.

Poi mi ritrovai, non so come, con un paio di calze di mia madre fra le mani. E il desiderio di indossarle, di farle mie. Indossavo le sue sciarpe, i suoi foulard, mi impregnavo del suo profumo. Mi sarei perfino truccato se avessi saputo come si faceva.

Non era solo per far finta di essere lei. Forse mi mancava talmente tanto che dovevo tenermela sempre affianco, e quello era l'unico modo che avevo per farlo.

Eppure tutto questo cominciava a prendere una piega inaspettata, cominciava a piacermi: mi eccitava – penso di poterlo dire adesso, arrivato a questo punto. Ho mentito per tutta la vita, sarebbe stupido continuare a farlo.

Avevo dimenticato tutta queste serie di stranezze, posso dire, finché non ho scoperto mio figlio Gregory fare esattamente lo stesso. E allora tutti i miei fantasmi, compreso quello di mia madre, sono tornati a vivere, come se avessero aspettato anni, seppelliti nel fondo di me stesso, che qualcuno venisse a riesumarli.

Ho avuto nuove crisi depressive. Mi hanno cancellato la memoria con la corrente elettrica che mi attraversava il cranio.

Mi sento come una nave che ha appena squarciato lo scafo contro uno scoglio.

Ho voglia solo di andare a fondo.

Mia madre mi vestiva come le mie sorelle. Per lei eravamo le sue tre gemelline. Mi metteva in mano le loro bambole, voleva che ci giocassi e se non ci giocavo diceva che non la facevo contenta.

Ora, non è importante quante bestie abbia ucciso con una pallottola in mezzo agli occhi, non importa quanti uomini io abbia picchiato, quanti ne abbia uccisi, quante donne abbia amato e quante di loro abbiano amato me, il ricordo di mia madre mi rimane dentro come un pugnale fra due costole. Adesso che sono arrivato alla fine, adesso che non ricordo più nulla, non ho comunque trovato il modo di dimenticarmene.

Cantava. Aveva talento, o almeno credo. Si era esibita in diverse serate, non mi sembrava male.

Avrebbe voluto che imparassi a suonare il violoncello. L'ho studiato anche se non me importava niente, solo per cercare di farle piacere.

Ho sempre pensato che mia madre abbia amato le mie sorelle molto più di quanto abbia amato me.

I suoi occhi di un azzurro gelido mi guardavano pieni di qualcosa di spiacevole, non sapevo di cosa si trattasse, ma adesso credo si tratti di indifferenza e una sorta di disgusto profondo, che le veniva direttamente dallo stomaco: una nausea. Non so dire se fosse veramente così, o se si trattasse solo di una mia sensazione.

Volevo essere amato da mia madre, come qualsiasi altro moccioso. Volevo esserlo perché sentivo di non esserlo, altrimenti non avrei mai cercato così tanto la sua approvazione.

Ma mia madre sembrava apprezzarmi quando, per gioco, prendevo una delle bambole delle mie sorelle e facevo la voce da bambina. Era una delle poche volte in cui riuscivo a farla ridere, a farla interessare a quello che facevo. Immagino che ora vi aspettiate qualche spiegazione. Ma non ne ho.

Papà.

Ho iniziato dicendo che mi sarei sparato un colpo in testa. Ho mentito. Non lo farò.

Non mi sparerò in testa, o meglio, non direttamente. Perché si rischia di non morire. Pensa che idiozia. Spararsi e fallire, rimanere in vita.

Potrei farlo nello stomaco, crepare fra gli spasmi qui sul tavolo della cucina, o sparare direttamente nel cuore, ma non voglio proprio rischiare di sbagliare.

Com'è che hai fatto tu? Quanto sangue ti pulsava nelle vene? È normale che il mio cuore batta così forte?

Ti ho voluto bene più di quanto mi fosse possibile voler bene. Non ho mai amato qualcun altro come ho amato te durante le nostre giornate al lago. Come non ho mai trovato nessun luogo che mi facesse sentire così sereno come quelle volte insieme.

Ti ho odiato anche, e molto. Perché sei morto, e mi hai lasciato quando ero troppo piccolo per rimanere solo e troppo grande per disperarmi. Non mi sentivo ancora un Uomo.

Mi sentivo soltanto tuo figlio. Questa cosa non è cambiata. Mi manchi molto, come mi sei mancato per tutta la vita.

Mamma.

Il mio più grande rammarico da quando ho memoria è di non essere riuscito ad essere quello che volevi tu. Mi sono portato dietro i tuoi occhi che disapprovavano, sappi che non li ho mai dimenticati.

Per tutta la vita ho cercato di uccidere Ernestina. Volevo farla fuori, spezzarle le ossa, spararle in pieno viso e vederla esplodere in tanti piccoli pezzi di cranio. Sentirla agonizzare, vederla morire, sarebbe stato il mio piacere più grande.

Ma Ernestina sopravviveva sempre, dentro di me, e si manifestava nei momenti più inaspettati, e mi veniva a bussare alle spalle, e mi faceva venir voglia di soddisfarti di nuovo, mamma, e mettermi una gonna, un paio di mutandine simili alle tue, passeggiarci, toccarmi con indosso quella roba e immaginando il tuo odore.

In guerra ho ucciso ragazzi della mia età ed è proprio tempo che io ammetta che è stata la cosa più bella che mi sia mai capitata: non ho mai provato così tanta gioia.

Ho sparato, mirando a quei ragazzi, e poi alle mie piccole quaglie e ai miei rinoceronti africani, a bufali potenti e veloci, a cervi eleganti, sfuggenti, distanti, come te.

Ho cercato di liberarmi di Ernestina uccidendo tutto quello che ho potuto uccidere, tutto quello che mi sembrava bello in un certo senso ho provato ad ucciderlo.

Come ho fatto con l'amore.

E mi ritrovo a parlare ancora adesso di te, come se niente fosse cambiato da quando a sei anni mi vestivi come una bambina. Non è forse un fallimento questo, mamma? O è solo la potenza del tuo amore, talmente radicata in me da essersi conservata fino al giorno della mia morte?

Non lo sai, non è vero? Io credo sia così.

Certe cose non ti abbandonano mai, mamma. Te le porti dietro e accetti il fatto di doverci convivere. È inutile fare storie, non puoi farci granché.

Non voglio più avere a che fare con Mary, non voglio più vederla. Non voglio più subire elettroshock. Non voglio più dimenticare quello che ho appena fatto. Non voglio più vedermi decomposto. Non posso più scrivere niente. Non voglio più far finta di non essere Ernestina.

Non mi rimane che compiere il mio unico gesto da uomo.

Mi metto la canna del fucile dentro la bocca.

Papà, Mamma, guardatemi: io me ne vado da Ernest.

1
SUE

«Prenderò questo. È bello? Ne vale la pena?»

Guardo la cliente. Allargo le labbra. «Sì, assolutamente, questo libro lo consiglio a tutti. Sono diciotto dollari e ottanta.»

I clienti dovrebbero smetterla di chiedermi che ne penso dei libri che vogliono comprare. Se un libro lo portano in cassa vuol dire che hanno già deciso di comprarlo, non hanno bisogno della tua opinione, te la chiedono solo per fare quattro chiacchiere o darsi delle arie.

Mi chiamo Sue Bell. Gestisco una libreria della Dymocks. Sono così annoiata che potrei morire qui, adesso, senza accorgermene. E questo è più o meno tutto.

Alice Springs, d'estate, somiglia a una scatola piena di sabbia bollente.

Non succede mai niente di speciale qui. Il mese scorso una vecchietta è stata investita da un tir che trasportava cavalli. Se n'è parlato per due settimane.

Ho sempre creduto che vivere in Australia, già di per sé, significhi vivere in provincia, ma vivere ad Alice Springs vuol dire vivere nella provincia della provincia, una provincia al quadrato, un tronco d'albero morto nel centro desertico dell'Australia. Qui, prima di Alice Springs, non c'era un bel niente. Sì, delle tribù native, ma sarebbe stato molto più giusto se qui non ci fosse mai nato proprio nessuno.

Ecco, considerate pure che, per quanto mi riguarda, l'estate amplifica questo senso di isolamento, e mi fa sentire come se vivessi in una specie di buco incandescente dimenticato dall'umanità.

Ok, forse sto esagerando, forse è perché amo il mare e su un'isola come l'Australia Alice Springs è esattamente al centro: sono 1500 chilometri dall'oceano. Ma, ve lo assicuro, vivere per trentadue anni qui ti forma, o meglio, deforma il carattere.

Ho visto Londra e Berlino, sono stata a Roma, Firenze, New York, San Francisco, per poi tornare ogni volta, sempre con maggiori difficoltà, alla mia vita ad Alice.

La verità è che non riesco ad andarmene.

Ai lati dell'isolato scorrono il fiume Todd e la Statale 87. In mezzo ci siamo io, la libreria, e poco altro.

Il sole sembra così vicino da liquefare le strade. Io me ne sto tranquilla, chiusa in libreria, a leggere e scrivere, perché c'è la possibilità che il prossimo cliente non entri prima di un paio di giorni.

"Non c'è niente da fare, l'estate non sarà mai la stagione di Alice Springs. Tantomeno la mia."

Questa è una frase del mio romanzo.

Sì, ne sto scrivendo uno. Da dieci anni. È il romanzo della mia vita. Ormai è finito, ma ci rimetto sopra le mani continuamente. S'intitola *Il nostro amore ad Alice Springs*.

Non l'ho mai detto a nessuno. Non a Joel, la mia migliore amica, nemmeno a mia madre.

Tutto quello che posso dire è che si tratta di una storia d'amore tra due persone che non riescono mai ad incontrarsi.

Quattrocentoventidue pagine. È un romanzo vero, non come tutte le porcherie che vendo qui tutti i giorni.

Betty Love. Lei è una scrittrice vera, la mia scrittrice preferita in assoluto, più di Jane Austen, più delle Brontë, più di chiunque altro. Come si cala nei personaggi, come riesce a smuoverti l'anima, il cuore, il pianto con le sue storie sulle donne. I suoi romanzi scorrono dentro di te, ti fanno maturare, riflettere, innamorare.

I suoi romanzi sono emozionanti, ecco tutto.

Tengo i suoi libri esposti qui davanti, fra le novità più vendute.

Entra un cliente. Prende una copia tra quelle esposte. Mi chiede che ne penso.

«Assolutamente, questo libro glielo consiglio col cuore. Sono diciotto dollari e ottanta.»

La mia vita è questa. Che volete. Prendo la copia del libro e la sparo con la pistola sul codice a barre. Lo volto. La copertina è rosso sangue, e ha al centro la sagoma di una pala. Le scritte di titolo e autore argentate, in rilievo.

La Storia di Lisey – Stephen King. La gente compra sempre la stessa robaccia. E nessuno che compri Betty Love.

2
S.

Sono ubriaco. Vorrei ordinare qualcos'altro, ma le hostess non passano più. Chiederei ancora da bere, e non avrebbero il coraggio di dirmi di no.

Non ho mai fatto un volo così lungo. Ho dormito per la maggior parte del tempo. Quando non ho dormito ho bevuto. E adesso sto morendo di noia.

Accanto a me c'è una donna. Non ci siamo guardati in faccia per tutto il viaggio. È mai possibile ignorarsi così?

Ha letto per tutto il viaggio. Sta leggendo ancora. Sbadiglio e mi stiro. La donna mi guarda solo con la coda dell'occhio. Mi piego a far finta di allacciarmi le scarpe, e noto che il libro che le sta appoggiato sui palmi delle mani è mio. Avevo visto la copertina, ma, non so perché, ero sicuro fosse Dan Brown.

Faccio uno sforzo per leggere il titolo. Non ci posso credere. Sta leggendo *Carrie*, il mio primo romanzo. Sarebbe stato più logico aspettarsi *Shining*, o *Misery*, o *Il Miglio Verde*, penso. E perché? Sono felice invece che ci sia qualcuno che ancora legge il mio primo romanzo. La donna accavalla le gambe. Sembrano molto belle. La gonna le copre fino alle cosce, lasciandole scoperte per metà. Non ce la faccio più a resistere.

«Le piace?» dico. Non mi sente. Mi schiarisco la voce, tossicchio un po'.

«Le piace?»

A voltarsi è il passeggero che mi sta davanti. Io con un cenno faccio capire di non essermi rivolto a lui.

La donna sta ascoltando qualcosa dalle cuffie. Non le avevo viste, nascoste come sono dai capelli. Mi tocca batterle con le dita sulla spalla.

Lei si spaventa. Ho interrotto qualcosa forse, non so cosa stesse ascoltando.

«Le piace?» dico, indicando il libro.

La donna è un po' scossa. Aggrotta le sopracciglia, si starà chiedendo perché l'abbia importunata in quel modo. Mi avrà preso per una specie di maniaco che da questo momento comincerà a seguirla dappertutto, o chissà cosa.

Aggrotta ancora le sopracciglia. Guarda il libro, aperto sulle sue cosce, come se sulle pagine ci fosse la risposta alla mia domanda.

«Mah, in realtà non molt...»

La donna alza lo sguardo e fissa qualcosa davanti a lei. Lo faccio anch'io, ma non vedo niente.

Lei, lentamente, gira la testa verso di me. Lo fa in maniera meccanica, come se fosse avvitata sul collo, come la testa di un pupazzo.

«Oh-mio-Dio», dice.

«Che c'è?»

«Oh-mio-Dio. Lei è Stephen King!» quasi grida. Si mette una mano sulla bocca, per impedirsi di urlare, immagino.

Mi viene da sorridere. Non so se l'avete mai provato, ma essere riconosciuti da qualcuno su un aereo nel mezzo dell'Oceano Pacifico, immagino debba essere gratificante. Per adesso non provo soddisfazione, non provo niente di particolare.

La donna deve essere una manager di qualcosa. Me la immagino a capo del settore produzione di un'azienda di tanga, che batte i pugni sulla sua enorme scrivania lucida e scura perché i suoi collaboratori non riescono a inventare un tanga che sembri invisibile, che sia elastico, trasparente, come richiede il mercato. Se non rimaniamo al passo coi tempi affondiamo. Sì, deve essere una che parla così. C'è qualcosa di autoritario nello sguardo stupito e meravigliato che mi sta rivolgendo.

Adesso si mette una mano sul petto. Respira con la bocca. Mi sembra stia iperventilando. Forse è asmatica.

«Tutto bene?»

«Sì, sì, mi scusi, è che... insomma... non capita tutti i giorni di sedere accanto a lei.» Di colpo si blocca, e il suo volto si deforma, come se fosse improvvisamente angosciato da qualcosa. «Oddio, non vorrei essere stata scortese. Siamo stati vicini per tutto il viaggio, e io non l'ho riconosciuta. Chissà cosa avrà pensato…»

Adesso con la mano si tocca la fronte, come per sentirne la temperatura.

Non può sapere che ho preso talmente tanto Lexotan che se l'aereo fosse precipitato nemmeno me ne sarei accorto, e che ho bevuto così tanto da essermi dimenticato di dove mi trovavo. Fingo comunque di essermi accorto di lei dall'inizio.

«Non si preoccupi, non è nulla. È solo che mi interessava sapere cosa ne pensava di quello.» Indico ancora il libro. «Cosa stava dicendo poco fa?»

Lei sembra aver collegato solo adesso. Si schiarisce la voce.

«È bellissimo, lo trovo stupendo, non ho mai letto un romanzo così avvincente, così coinvolgente, così…» scommetto che ha finito gli aggettivi, ma lei non si arrende: «così emozionante.»

Di tutti gli aggettivi che avrebbe potuto scegliere, ha scelto il peggiore. Non dite mai a uno scrittore che il suo libro è emozionante. Perché non vuol dire un bel niente. È un commento che si fa per cavarsela, ma non significa niente. Apprezzerei molto di più qualcuno che avesse il coraggio di dirmi "il tuo libro fa schifo" o "è illeggibile", almeno sarebbe un commento sincero al mio lavoro.

«Ah sì?» dico. «Non me l'aspettavo. Pensavo non le fosse piaciuto. Ha letto altri miei libri?»

Ha letto *Shining*, *Misery* e il *Miglio Verde*, naturalmente. Lei non lo dice ma, come tutti, li avrà letti dopo aver visto i film. E infatti: «Ma i film non sono belli come il libro», dice.

Io sorrido e mi spalmo bene contro lo schienale, come se volessi sparire.

«Posso fare una domanda?» dice la donna.

«Certo», rispondo.

«A cosa sta lavorando adesso?»

A niente, penso. In realtà come ogni scrittore lavoro anche quando guardo fuori dalla finestra.

«A una storia. È ancora solo una bozza, ma non lo dica a nessuno. Parlerebbe di un maniaco che incontra la sua vittima su un aereo. E da quel momento la seguirà ovunque, tormentandola, qualsiasi cosa lei faccia, e, per liberarsi della sua ossessione nei confronti di quella donna, non può far altro che una cosa: deve ucciderla. Le piace anche questo?»

La donna sorride. Ha un sorriso incredibilmente teso.

3

Perché amo tanto Betty Love?

Non saprei, mi ha cambiato la vita, mi sembra un'ottima ragione per amare una scrittrice.

So tutto su di lei. Per prima cosa non si chiama Betty Love, quello è solo un nome d'arte. In realtà si chiama Elizabeth Gasperowicz, ha lontanissime origini polacche. Evidentemente era un nome che non si poteva usare, troppo complicato da pronunciare o che so io.

È americana. Vive a Manhattan. Scrive i suoi romanzi e alcune serie tv, più o meno dello stesso genere. Vende forte in America, qui invece non un granché. Ha quarant'anni, è alta, biondissima, bianca come il latte, sempre perfetta, elegante, truccata, mai un capello in disordine. Immagino abbia uno staff che la concia così. Comunque, vorrei che i suoi libri fossero più letti, almeno qui, ecco perché dedico loro costantemente uno spazio importante in libreria, e vorrei che venissero meno criticati dai giornali, che, ad ogni nuova uscita, stroncano Betty con frasi tremende e nomignoli cattivi, la chiamano "la shampista" e cose del genere.

È single, come me, sempre alla ricerca dell'uomo giusto, ma costantemente delusa dagli uomini. Ha abbandonato il college, come me. Studiava letteratura inglese, io americana, ma va bene lo stesso. Insomma, potrebbe essere mia sorella.

Quanto ho sognato di vederla entrare qui dentro, a sfogliare i miei libri, a dirmi "buongiorno", voi non lo sapete.

Le farei leggere il mio romanzo. So che le piacerebbe moltissimo, ma accetterei comunque qualsiasi critica da lei.

Entra un altro cliente. Un ragazzino di neanche sedici anni. Porta l'apparecchio, il cappellino al contrario, la maglia dei Miami Heat.

Già so cosa vuole. «L'ultimo di King?» mi chiede. Glielo indico.

Non c'è niente da fare. Le librerie sopravvivono così, vendendo tonnellate di stronzate ai mentecatti.

Sogno un mondo in cui nella mia libreria ci sia spazio per esporre i libri di Betty Love. Sarebbe un mondo migliore.

L'ultimo romanzo di King è uscito un anno fa e devo ancora tenerlo esposto, perché i clienti continuano ad entrare e a divorarne copie, vedono la copertina sgargiante del libro, i caratteri in rilievo, e anche chi non l'ha mai sentito nominare lo compra. Perché? Perché lo fanno tutti, perché così il cliente che legge al massimo un libro l'anno avrà qualcosa di cui parlare con la collega in ufficio, perché così una mia clliente penserà di distrarsi con qualcosa che piace a tutti, che magari piace anche al marito. Detesto i mariti.

No, non mi sono mai sposata. Vi starete chiedendo come mai.

Non lo so. Credo di non essere una donna molto attraente. Insomma, ho trentadue anni, e la forma migliore l'ho avuta dieci anni fa. Sono robusta, diciamo. Ho una buona costituzione, ma non mi sento nemmeno brutta. Ecco tutto.

Credo di aver sempre troppo idealizzato gli uomini. E, colpa anche della mia passione per Betty Love, sono sempre stata incredibilmente romantica, dai tempi delle elementari.

"Il mondo reale è pessimo, deludente, rispetto al mondo che ci siamo inventati dentro."

Questa è un'altra frase del mio romanzo.

4

La gente con cui ho a che fare ha il terrore di dirmi cosa pensa veramente dei miei libri. E io ho smarrito il senso dell'autocritica. Cioè, no, non è vero, non so cos'ho smarrito, qualcosa devo averla smarrita per forza, ma non so cosa, e ho bevuto troppo per capirlo adesso.

L'aereo è atterrato all'aeroporto di Alice Springs. Ho salutato la mia compagna di viaggio con un autografo e una dedica sul libro. Era davvero una bella donna, l'ho seguita fino a quando non ha raggiunto quello che presumo sia il marito, un tizio alto e grosso, sparendo poi dalla mia vista, dalla mia vita, chissà…

Prendo un taxi e raggiungo l'albergo. Qui le strade, i palazzi, il municipio, i bar, i centri commerciali a due piani, tutto è impiantato nel deserto, tutto poggia le fondamenta in qualcosa d'inospitale, anche le gomme del mio taxi sembrano perdersi nel deserto. Fuori dal finestrino: il Nulla. Ho sempre avuto paura del Nulla, per questo me lo sono inventato.

Sono passate tre ore e il tassista non dice una parola, non sembra neanche contento del gruzzolo che guadagnerà per cinquanta chilometri di corsa.

Finalmente arriviamo a destinazione. Sembra che siano morti tutti.

Alice Springs.

La mia destinazione finale.

Vi starete chiedendo perché sia venuto qui.

Veramente, adesso che ci penso, non lo so neppure io.

Non ho presentazioni da fare, eventi, manifestazioni culturali, conferenze, niente di niente. Non ho nemmeno avvertito il mio agente.

Non lo so. Suppongo che avessi voglia di andarmene il più possibile lontano da tutto, dalla mia vita ordinaria, e ho scelto un luogo che praticamente non esiste, nel centro dell'Australia. Avevo bisogno di sparire. Forse è quello che mi è passato per la mente.

No, non sono qui per scrivere. Non ho bisogno di raggiungere un posto del genere per scrivere.

Ho bisogno di ritrovare questa dannata cosa che ho smarrito e che non riesco a inquadrare. Non è la mia capacità di critica nei confronti del mio stesso lavoro, ok, deve essere qualcos'altro. Forse la mia capacità di inventare personaggi e situazioni. Forse il mio entusiasmo. L'entusiasmo che avevo quando ho scritto *Carrie*, la voglia di essere qualcosa, la fame di arrivare, e il fatto, forse, di sentirmi sazio. Troppo sazio. Come se tutto quello che ho guadagnato non valesse poi granché.

Ho sempre avuto bisogno di stroncature solenni, come da bambino avevo bisogno di rimproveri. Anche se di stroncature, sui miei libri, ne leggo continuamente. Ma quelle vengono dalla critica, sono dardi lanciati da giornalisti culturali, letterari o quello che vi pare, contro l'editore, non contro di me. Scommetto che i miei libri nemmeno li leggono più. L'unica cosa che conta è che vendano, che vendano sempre di più, che vengano tradotti ovunque, che se ne facciano film, ve lo immaginate no? Le solite cose.

A me interessano le critiche dei miei lettori, di chi si occupa di tutt'altro nella vita e spende momenti preziosi e irripetibili per leggere me. Che ne pensano, queste persone, dei miei romanzi? Avranno notato un calo? Mi considereranno ancora bravo e talentuoso come quando ho scritto *Carrie*? O leggono me come leggono Dan Brown, perché ormai somiglio più a un brand che a uno scrittore?

Cambio così tante volte idea da farmi schifo. Fino a qualche giorno fa l'idea di essere un marchio mi andava benissimo, anzi, ho lavorato per diventare un marchio, per avere un nome che valga per davvero, per tutti. E adesso questa cosa non la sopporto più.

Raggiungo l'albergo. So già di aver bisogno di una lunga serie di caffè per riprendermi.

Prima mi sdraio in camera. Respiro a bocca aperta, mi rilassa. Di colpo mi viene in mente che un ragno grosso quanto la mia mano possa entrarmi nella gola.

L'effetto del Lexotan è passato. La sbornia pure. E adesso, naturalmente, non riesco più a dormire, quindi me ne sto con la bocca chiusa e le mani intrecciate sulla pancia a fissare le pale che girano sopra la mia testa. Le spengo e accendo l'aria condizionata. Mi sdraio di nuovo. Non va bene. Non funziona.

Ho bisogno di distrarmi. Me ne vado a fare un giro.

5

Il mio romanzo *Il nostro amore ad Alice Springs* è stato tutto quello a cui mi sono dedicata da quando ho lasciato il college.

Ho iniziato a scriverlo per necessità, per gioco, per provare. Poi ci ho messo dentro sempre di più. Mi sono inventata una storia d'amore, perché di questo si tratta. Naturalmente il romanzo è ambientato in questa città. L'idea alla base comunque è che i miei personaggi si amano molto, ma per motivi diversi non riescono mai a raggiungersi, e, lentamente, vanno avanti con la loro vita, affondano giorno per giorno nelle sabbie mobili di Alice Springs.

Non ho ancora trovato il coraggio di proporlo a qualcuno. Tutti i giorni vengo qui in libreria, accendo il Mac dietro al bancone e apro la cartella con gli indirizzi mail degli editori. Ne ho tanti, insomma, gestisco una libreria, posso dire di conoscere qualcuno del settore.

Be', va a finire che scrivo il corpo della mail, faccio per mandare, e poi cancello sempre tutto.

Non so perché non riesco a farlo. Suppongo sia per proteggere il mio libro. E per proteggere me. Se un editore rispondesse con due righe dicendomi che il mio romanzo fa schifo, che l'unica cosa buona che mi sembra di aver mai fatto nella vita sarà da buttare, be', io non so come reagirei.

In pratica è così che è trascorsa la mia vita dai tempi del college. In attesa di qualcosa.

Non ho avuto molti uomini, i miei genitori sono vecchi ma stranamente ancora in salute, non ho cani o gatti o criceti a cui voler bene, non faccio sesso dal 2003.

Lo so, sono cose abbastanza tristi da dire, ma è così che va.

L'unica cosa buona della mia vita sono i libri di Betty Love e il mio romanzo. Ecco, non permetterei mai a nessuno di togliermi queste due cose. Il resto può anche andare tutto in malora.

Ora, non fraintendetemi, però, non sono una specie di grassona che torna a casa la sera, cena con una vascona di gelato davanti a un film romantico con Jennifer Lopez e s'ingozza fino ad addormentarsi, sognando poi che l'uomo dei suoi sogni la salvi dal carretto di frutta che la sta per investire. Mi sento una persona triste, sì, ma non fino a questo punto. Immagino sarebbe meglio suicidarsi, dopo aver superato certi limiti.

Vorrei solo che succedesse qualcosa. Non chiedo molto. E non parlo di uomini o di rapporti sessuali o d'amore, parlo di dare una svolta alla mia vita. Perché sì, la libreria è un posto sicuro, ho una posizione, una casa, una tv, ma sento di svanire, piano piano, nella quotidianità, come si sparisce dentro un buco nero.

Vorrei che il mio romanzo venisse pubblicato, ma, come vi dicevo, non ho abbastanza coraggio per provarci. Non sto dicendo che vorrei diventare la nuova Betty Love, ci mancherebbe altro, ma, non so, l'idea che la mia storia possa essere d'aiuto o suscitare qualcosa in qualche altra persona, ecco, mi farebbe molto felice.

Non so. Forse devo solo aspettare l'occasione giusta.

6

Esco dall'albergo, una specie di casale rimasto fermo nel tempo agli anni Ottanta.

Faccio il giro dell'isolato.

Dio, questo posto ti fa sentire veramente a disagio. Insomma, anche chi è nato qui si sente uno straniero, andiamo, sembra di stare su un altro pianeta o, che so, nel Texas.

Capisco, passo dopo passo, che passeggiare qui non ti aiuta a ritrovare te stesso, al massimo ti procura un'insolazione. Gesù. Mi sento osservato da chiunque.

Potrebbe essere una storia? Un uomo che per caso si ritrova in una cittadina sperduta dell'Australia e scopre che tutti i suoi abitanti sono coalizzati contro di lui? Che magari vogliono mangiarlo perché si nutrono di turisti stranier…

No, è una stronzata. Gesù, ma che cazzo ci sono venuto a fare qui.

Apro il cellulare. Ho ventidue chiamate perse del mio agente. Nessuna da mia moglie. Lei sa dove sono, anche se non sa perché. Come me, del resto.

Ecco, sento di aver riattivato la circolazione del sangue dentro la testa. È una sensazione strana, mi sento un po' meglio. Ci vorrebbe una birra gelata ma non c'è un cazzo di bar aperto, ancora.

Devi smetterla di raccontarti cazzate. Il problema sei tu.

Hai troppa paura per ammettere di aver paura. E sai di cosa hai paura? Di non essere un bravo scrittore. Di aver fatto tanta fatica, di aver raggiunto tutto il mondo con le tue storie, per niente, per un pugno di mosche. Quando sarai morto nessuno ricorderà i tuoi libri. Sarai solo uno che ne ha sempre venduti tanti, una specie di genio del marketing.

Forse non c'è bisogno che io sia così duro con me stesso, ma sembra quest'ambiente, queste strade così dure, polverose, questi edifici bassi e questi pickup che camminano lenti sulla strada, tutta questa maledetta cittadina sembra suggerirmi pensieri così opprimenti.

Cos'è che fa di uno scrittore uno scrittore? Non lo so. Non credo dipenda dal numero di copie vendute. Insomma, Dostoevskij per esempio, quante copie potrà mai aver venduto? Ma i suoi romanzi uscivano sulle riviste, mica dipendeva da lui se vendevano, che diavolo sto dicendo.

E Joyce? E Proust? Tu che c'entri con loro?

Io? Niente. Io credo di essere un narratore maledettamente bravo. Scrittore, forse, non mi è riuscito ancora di diventarlo.

Io davvero non so perché dopo tutti questi anni, dopo tutte le copie vendute, dopo milioni di anticipi guadagnati e spesi e riguadagnati, e firme sulle copie durante le presentazioni, e festival letterari, e articoli di giornale, io davvero non so perché mi sto facendo tutte queste domande proprio qui, adesso, nel bel mezzo del nulla. Prima non mi ero mai posto certe questioni. Non avevo mai nominato Joyce, Proust, Dostoevskij, pensando di potermici avvicinare. E, sapete la verità, non me ne fregava proprio niente.

Credo di essere diventato melenso così, di colpo.

Ho bisogno di distrarmi. Lo so che ne avevo bisogno anche prima, ma ancora non mi sono distratto.

Adesso non so più dove mi trovo. Sto sentendo davvero molto caldo. Mi tolgo la giacca. Strizzo gli occhi. Vedo uno slargo. C'è movimento, ci sono delle persone. Mi pare di intravedere una libreria, laggiù.

7

Entra qualche cliente. Sono stranieri. Vedrai che vanno verso i libri di viaggi. Ecco, appunto.

Basta, non posso più aspettare, ho deciso: lo faccio ora.

Apro la cartella, apro la bancadati con i contatti degli editori. Praticamente ce li ho tutti.

Scrivo velocemente la solita mail, me la ricordo a memoria. Breve, educata, incisiva. Bene. Copio l'indirizzo del primo editore nella barra del destinatario. Ok. Allego il file del romanzo. Sta caricando. Fatto. Non resta che cliccare "invia".

Stop. Che sto facendo? Sono di nuovo bloccata. Adesso ho paura che il romanzo abbia bisogno di una nuova revisione, che l'incipit sia più veloce, più convincente, perché ho letto da qualche parte, su uno di quei blog per aspiranti scrittori, che l'incipit è la base che fa sì che un romanzo venga letto o meno. Se piace, bene, l'editore andrà avanti. Se non piace è finita: mail e romanzo cestinati e arrivederci e grazie.

No, no, è ancora troppo presto, non vorrei fare l'errore di essere troppo impaziente e bruciarmi in partenza. Però posso fare una cosa migliore: posso scrivere a Betty Love.

Premetto che la mail di Betty Love è introvabile. Giuro di averle provate tutte, di aver cercato ovunque fosse possibile, di essermi inventata indirizzi mail dei suoi genitori, di sua sorella, di suo marito, ma niente di niente, quella donna è irraggiungibile.

Allora, di solito, non è la prima volta che lo faccio, le scrivo sul blog. C'è un campo "Write me!" in cui è possibile scriverle quello che si vuole, lasciando la propria mail.

Non mi ha mai risposto. Nemmeno una volta. Ci riprovo

adesso. Bisogna essere telegrafici perché il sito prevede un limite massimo di parole. Ci provo.

Cara Betty, sei la mia scrittrice preferita di sempre. Mi serve aiuto: ho un romanzo che ritengo fantastico. Non ho il coraggio di spedirlo a editori. Temo non sia pronto. Come posso fare?
Ti adoro, Sue

E invio. Oddio, speriamo risponda questa volt...

Mi blocco, d'improvviso. Quello che sta succedendo qui, adesso, in questo momento, nella mia libreria, è una cosa incredibile, impossibile, mai vista prima. Non posso credere ai miei occhi. Me ne sto qui, dietro al bancone, e non riesco a far altro che starmene immobile, come paralizzata dall'incredulità, con la bocca spalancata e le mani che, lentamente, cominciano a tremarmi.

Dio, non è possibile.

Devo andare subito da lui.

8

"Dymocks: for Booklovers", recita l'insegna.

Come una specie di animale ferito mi butto dentro la libreria e, lentamente, sento l'aria fresca accarezzarmi la gola e il viso. Ricomincio a respirare in modo regolare, finalmente.

Non c'è granché qui, solo qualche cliente che sfoglia libri di viaggi.

Una commessa traffica sul suo Mac. Nient'altro. Meglio così.

Posso addirittura rimettere la mia giacca. Porto le mani dietro la schiena. Comincio l'ispezione.

Reparto Fiction o Non Fiction. A me interessa solo la finzione, è sempre stato così. Invece la clientela sembra preferire di gran lunga i libri che parlano di cose pratiche, manuali, guide su come si cucina, si viaggia, si mangia, si sopravvive nel deserto, si vive.

Decido di fare il giro largo. Passo in rassegna le pile di libri esposti e me li guardo tutti, uno per uno. Sento il loro profumo, di alcuni tocco la copertina. Passo tra i classici, vado a cercarmi Dostoevskij, Joyce e Proust, li sfoglio tutti, mi ricordano i tempi in cui ho cominciato.

Penso che questa cosa non sia mai cambiata. Non esistono luoghi che mi rimettano al mondo come le librerie, che mi facciano sentire parte di qualcosa.

Facendo il giro arrivo ai libri esposti al banchetto davanti all'entrata, di fronte alla cassiera, che è troppo occupata per notarmi.

Do un'occhiata fra i libri esposti. Dan Brown, okay, questo deve starci per forza, una colonna inspiegabile di copie impilate e invendute dell'autrice Betty Love, la "shampista". Lei sì che è un genio del marketing. Neanche li scrive lei, i suoi libri, ha un team di ghost writer pagato dalla casa editrice, sono gli stessi che le scrivono quelle orribili serie tv sulle donne che passano la vita a raccontarsi di aver scopato uomini ricchissimi. Ha addirittura una squadra di pennivendoli che rispondono alle mail dei fan al posto suo. Questa è Betty Love. Un incredibile bluff. E poi ha un cognome polacco impronunciabile che nemmeno ricordo più. Chissà cosa ne penserebbero i suoi lettori, se solo sapessero che razza di personaggio è. E io dovrei farmi problemi per i libri che scrivo? Ma andiamo. Io di certo non passerò alla storia, va bene, non sono qui a farvi psicodrammi, ma, diamine, almeno non mi faccio scrivere certe idiozie e non prendo in giro i miei lettori cercando di consolarli sempre e comunque, facendo finta di avere i loro stessi problemi del cazzo. Ma tanto l'80 percento dei lettori di Betty Love sono donne, il resto sono gay o etero molto sensibili.

Eccomi. Proprio accanto alla vecchia Love. Ci sono anch'io. Chi mi ha messo qui deve considerarmi proprio spazzatura, tanto quanto Betty. *La Storia di Lisey*, certo. Vorrei vederci *Carrie*, qui sopra.

Mi sto annoiando. Non trovo di meglio da fare. Infilo la mano nella tasca interna della giacca, tiro fuori la mia Montblanc e comincio ad autografare, una a una, le copie de *La Storia di Lisey*. Così. Tanto per passare il tempo.

Le firmo tutte.

9

«Ehi! Ehi!» dico. Non mi sente. Si infila la penna in tasca. Esce dalla libreria.

Corro verso le copie dei libri. Le apro. Su tutte le seconde pagine c'è uno scarabocchio incomprensibile che somiglia a una firma.

Ho deciso: lo rincorro.

«Dov'è andato? Dov'è andato?»

Esco dal negozio. «Ehi!» grido. Stavolta mi sente. Si ferma, si volta, mi guarda.

«Ma è pazzo o cosa?»

«Come dice?»

«Dico, è pazzo? Ha scarabocchiato tutte le copie dei libri di King. Ha vandalizzato il nostro negozio. Adesso deve ripagarcele tutte, signore.»

L'uomo incrocia le braccia. Sorride. Ha qualcosa di familiare, ora che lo guardo, insomma, mi ricorda qualcuno. È alto, i capelli tirati all'indietro, con un po' di bianco qua e là, gli occhi piccoli, gli occhiali da vista ovali.

«Lei non mi riconosce, non è vero?»

«No, non la riconosco.»

Lui ride. «Mi scusi, lei non ha mai letto i miei libri, non è vero… Sue?» dice, guardandomi il cartellino attaccato sul petto.

Io a capire ci metto un po'. Sono troppo furiosa, che volete.

«Non m'interessa chi è, lei deve ripagarci le copie. Altrimenti chiamo la polizia.»

«Mi dica. A lei piacciono i libri di King? Ne ha mai letto uno?» chiede, improvvisamente.

Io non capisco. «Che c'entra?»

«Mi dica se le piacciono», insiste.

«No. Ho letto *Carrie* e mi ha fatto schifo. Adesso deve rientrare in negozio con me o sarò costretta a chiamare la polizia, signore.»

«Prego, mi segua», gli dico, come se fossi un agente di polizia, mi sento sotto l'effetto dell'adrenalina, il cuore mi batte forte: sto fermando un delinquente.

«Ok», risponde lui. Bene. Benissimo.

Mi volto. Stiamo per rientrare in libreria. Ogni tanto controllo che il criminale sia ancora dietro di me e non stia scappando via per salvarsi. Mi volto ancora una, due volte. Alla terza sento che sta per venirmi un infarto. Dio, che idiota!

«Mr. King, io non ho davvero parole, lei deve perdonarmi, ma io come potevo sapere che lei…»

Mr. King sorride ancora. Non sembra infastidito, non direi, sembra quasi contento. Io, invece, potrei sotterrarmi qui, in questo momento. E non riesco a dire cose che non siano stupide.

«Se ci avesse avvertito del suo arrivo, Mr. King, anche tramite il suo agente, non so, come minimo le avremmo preparato una torta.» Ma che sto dicendo, Dio santo, sta zitta Sue, brutta idiota.

Non so più che dire. Ricordo di non essermi nemmeno presentata. «Sue Bell. Manager del negozio. Si tratterrà a lungo qui ad Alice Springs?» somiglio a una specie di macchinetta reimpostata.

«Piacere Mr. King. No, sono di passaggio.»

Allungo la mano, tesa e legnosa come un tronco.

Lui me le stringe.

Rimaniamo in silenzio per qualche terribile secondo.

«Insomma, mi stava dicendo, il mio romanzo *Carrie* non le è piaciuto?»

10

«Non è che non mi sia piaciuto, io, ecco…»

«Iniziai a lavorarci quando avevo venticinque anni», la interrompo, «pensi che cominciai *Carrie* come se si trattasse di un racconto, e, d'un tratto, era diventato un romanzo. Non mi aspettavo molto dal libro. Pensavo: "Chi vorrà mai leggere un libro su una poveretta afflitta da problemi mestruali?" Non riuscivo a credere di essere al lavoro su una storia del genere. Credo sia il mio miglior romanzo», dico.

Guardo questa ragazza da parte a parte. Riesco a vedere la sua vita, cosa fa la sera, le sue amiche, la sua famiglia. Non è sposata, credo non abbia neppure un fidanzato. Il modo in cui si pone, in cui parla, gesticola, mi fa pensare ad una persona dura, che si è costruita una serie di difese in cemento armato intorno al suo centro ferito, molle, forse deluso da qualcosa o da qualcuno, come se l'avesse sepolto dentro un bunker. Deve amare qualsiasi cosa di Jane Austen una così, come avrà amato Anna Karenina o Emily Dickinson al college.

«In fondo credo mi sia piaciuto molto», dice, «non so perché ho detto così, prima. Ero nervosa.»

«Andiamo, non sia gentile con me solo perché sono l'autore, avanti, mi dica quello che pensa veramente, lo voglio sentire, davvero. È molto importante per me.»

Lei tossisce. Mi guarda. Ha il viso tondo, i lineamenti proporzionati, è un viso che esprime simpatia e antipatia nello stesso momento.

«Credo che i suoi libri non siano il mio genere, Mr. King», dice, con fermezza.

«E cosa legge? Qual è il suo genere?»

«Io leggo Betty Love.»

Non ho capito niente di lei. Pensavo fosse un personaggio, già l'avevo inquadrata in tutte le sue abitudini, le sue idiosincrasie, e ho sbagliato clamorosamente. Già l'avevo immaginata morta, non chiedetemi perché.

Dio, è questo che fa di me uno scrittore: la presunzione di sapere tutto dei propri personaggi. Di governarli, di dargli dei ruoli, delle personalità, e arrivare al punto di farsi sorprendere dai loro stessi comportamenti.

Perché Betty Love? Perché mai una persona che lavora per i libri, che ci vive intorno dovrebbe leggere quella shampista di Betty Love? A questa ragazza piace farsi prendere in giro. Deve essere così. A lei piace illudersi.

Ecco qual è la chiave del suo personaggio, la sua traccia, il suo percorso, non ci ero arrivato: l'illusione. Ne condizionerà e guiderà tutti i comportamenti e influenzerà pesantemente le sue relazioni, portandola sempre allo stesso punto di partenza finché, per un motivo o per un altro, non riuscirà a superarla, ad attraversare l'ostacolo, ad uscire dalla sua trappola di finzione ed autocommiserazione. O ci morirà dentro.

Scrive. Starà scrivendo qualcosa, ci scommetto.

Glielo chiedo. Mi dice di sì. Le chiedo se posso leggere il suo romanzo, perché lei è stata sincera con me e io voglio essere sincero con lei. In un attimo il volto le diventa rosso.

11

Stephen King mi sta chiedendo di fargli leggere il mio romanzo. E io non riesco a far altro che balbettare e cercare aria. Sta succedendo tutto troppo in fretta, non ho più l'abitudine a fare le cose di fretta, forse non l'ho mai avuta.

Comunque rientriamo in libreria. Ho una copia cartacea nel cassetto, sotto la cassa, ma faccio finta di non averla. È piena di correzioni e appunti, non posso far leggere questa a Stephen King.

Lui mi osserva, come se mi stesse studiando. Qualche cliente per fortuna lo riconosce e lo distrae, gli chiede un autografo, di farsi una foto insieme. Lui è gentile e carino con tutti.

Io cerco di prendere tempo.

Aspetto che si liberi. Gli chiedo l'indirizzo e-mail a cui poter spedire il romanzo. Non ci credo. Mi dà il suo indirizzo personale.

Mi sento svenire, mi tremano le ginocchia, non so che mi prende.

Allora, Sue, stai calma, cerca di respirare. Prendi aria, così. È il momento della verità, non hai più scuse.

Ti sei sempre lamentata della tua vita, del fatto che non succeda mai niente di speciale, che aspetti continuamente che le cose cambino, che la tua vita ad Alice Springs somiglia a quella di una pianta di cactus.

E adesso? Adesso, quello che ti sta succedendo, sappi che non succede a nessuno. Quanta gente, quanti fanatici sfegatati di Stephen King vorrebbero conoscerlo, stringergli la mano, o addirittura fargli leggere i loro lavori? Sei maledettamente fortunata, Sue, devi rendertene conto. Perciò sbrigati, forza, prepara la mail, allega il romanzo e farlo partire, non ci pensare nemmeno due volte.

Sto per farlo. Il suono di una notifica appena percettibile mi fa saltare dallo spavento. Apro la mail.

È Betty Love. Non ci crederete, non ci credo neanch'io: Betty Love ha risposto alla mia mail!

Rileggo il testo della mia domanda.

Cara Betty, sei la mia scrittrice preferita di sempre. Mi serve aiuto: ho un romanzo che ritengo fantastico. Non ho il coraggio di spedirlo a editori. Temo non sia pronto. Come posso fare?
Ti adoro, Sue

Devo calmarmi. Troppe emozioni tutte insieme. Ho il cuore che mi batte dappertutto mentre leggo la sua risposta:

Cara Sue,
fa pure quello che ti dice il cuore. Non forzare i tempi se non sei pronta. Tua, Betty Love

Mi siedo sul mio sgabello, completamente al riparo dall'enorme schermo del Mac, e penso che questa proprio non ci voleva. Betty Love mi ha solo confuso le idee.

Forse sto forzando i tempi. Forse ha ragione lei. Lei è così profonda.

Mr. King si è liberato dai miei clienti e si affaccia alla mia postazione. Mi chiede se abbia inviato il romanzo.

No, non ancora, penso. «Sì, certo!» gli dico.

«Bene, Sue. Lo leggerò al mio ritorno e le farò sapere.»

Lo ringrazio molto. È stato così gentile e carino. Ci stringiamo la mano. Lo vedo uscire dalla libreria.

Non so se mi sento pronta. Forse ancora no.

Forse è meglio lasciar perdere tutto e, insomma, aspettare il momento giusto. Forse mi serve altro tempo. Come vi dicevo, non sono più abituata a fare le cose di fretta.

In un attimo, la libreria è di nuovo vuota, e tutto torna normale. Come se non fosse mai successo.

Vado al cubo delle copie esposte e sistemo i libri di King. I clienti li hanno maneggiati e sono tutti in disordine. I libri di Betty Love invece se ne stanno lì, con le loro copertine rigide e spigolose, lucide, intatte, così belle da sembrare finte.

Come un lampo, una specie di flash, mi viene in mente l'unica frase di *Carrie* che ricordo: «La gente non migliora, diventa solo più furba. Quando diventi più furbo, non smetti di strappare le ali alle mosche, cerchi solo di trovare dei motivi migliori per farlo».

L'ora di chiudere arriva presto. Tiro giù le serrande per metà. Spengo le luci perimetrali. Chiudo la mail e spengo il Mac. Sto pensando al consiglio di Betty Love. Ci lavorerò sopra. Betty Love mi ha scritto, lei, di persona. King sarà stato anche gentile, ma mi avrà dato una mail personale gestita da chi sa chi. Non come Betty Love. Betty Love è sincera e si leggeva che le sue parole venivano dal cuore. Lasciamo l'orrore a Mr. King, lasciamogli la finzione, io amo Betty Love, lei non è finzione, lei ti racconta la realtà.

1
ROSEMARY

ottobre 1931

Erano bellissimi, illuminati dal sole e dalla volontà di Dio.

Erano tutti lì sulla spiaggia, uno accanto all'altro. Sul viso di ognuno era impresso il sorriso di Joseph che, insieme a sua moglie Rose, occupava il centro della foto. Tutto intorno aveva il loro corredo genetico, i frutti dei loro sforzi e i depositari inconsapevoli delle loro speranze: i loro otto figli.

Robert, John, Eunice, Jean, Patricia, Kathleen, Joseph Junior.

In fondo, sulla destra, rideva Rosemary, mentre guardava le sue sorelle.

Era una famiglia americana.

Oltre al sorriso, sui loro volti era impressa la fermezza di Joseph, la fermezza di un uomo che si era guadagnato una fortuna, un democratico, progressista, liberale, di razza bianca, cristiano cattolico, moderatamente antisemita: un perfetto americano.

La sua carriera era iniziata nel 1913, appena uscito dalla facoltà di Economia di Harvard, quando venne assunto dalla Columbia Trust Bank. A soli venticinque anni ne divenne il direttore. Il suo talento e il suo fiuto per gli investimenti gli spalancarono le porte di Wall Street e, successivamente, della politica, avendo supportato economicamente la campagna elettorale del presidente degli Stati Uniti, che gli promise di fargli dirigere il Consiglio d'Amministrazione della Commissione per i Titoli e gli Scambi Americani.

Nell'ottobre del '14 aveva sposato Rose Elizabeth Fitzgerald.

Il fotografo scattò. Era il 4 settembre del 1931.

Joseph e Rose portavano la famiglia nella loro casa ad Hyannis Port tutte le estati, ma quell'anno gli impegni politici di Joseph rinviarono le vacanze direttamente a settembre.

I bambini ridevano, eccitati dall'aria del mare, mentre affondavano le mani nella sabbia. Joseph abbracciò sua moglie Rose, e lei gli baciò il petto.

Guardava i suoi figli. Sentì, in quel momento, quella sensazione di bene autentico, di paternità, che provava ogni volta che la sua famiglia gli si stringeva attorno.

Era lui ad aver costruito tutto questo. Sentiva suo dovere proteggerli, indirizzarli, controllarli con tutta l'attenzione possibile.

Rose, che era una gran donna, gli aveva dato figli sani, perfetti, gli aveva dato i maschi, John, Robert e Joseph Jr., che, nelle sue aspettative, avrebbero proseguito e onorato la sua carriera politica.

Dopo qualche minuto si alzò il vento, e di colpo l'umore di Joseph cambiò. Diventò triste, angosciato, rabbioso.

Anche se tutti i suoi figli ridevano, scherzavano, si rincorrevano lungo la spiaggia, lui, Joseph, deformato in quel sorriso che andava sparendo, non riusciva a smettere di chiedersi che cosa avesse da ridere sua figlia Rosemary.

2

Rosemary non correva come corrono le bambine, non rideva come le sue sorelle. Guardava gli adulti in costume che le passavano davanti non con l'innocenza e il disinteresse delle bambine, ma già con lo sguardo di una donna.

A Joseph sembrava avesse già una certa malizia. Era come se non fosse mai stata bambina.

Aveva quattordici anni. E bambina aveva smesso di esserlo da un pezzo, come si intravedeva dai suoi fianchi stretti dai pantaloni troppo attillati, e dalla camicia bianca che a lui sembrava sempre troppo stretta.

Era qualcosa di simile a una donna, e questo non era un fatto che Joseph avesse previsto o fosse disposto ad accettare.

Non si poteva crescere così presto: c'era qualcosa che non andava.

E infatti c'era.

Rosemary aveva dei problemi a scuola. Leggeva con difficoltà, le serviva più tempo per capire argomenti che le sue compagne avevano già memorizzato, era sempre distratta, parlava continuamente, sembrava non le importasse niente delle brutte pagelle o della rabbia che provocava nei professori, anzi: Joseph era pronto a scommettere che provasse anche un certo gusto a farli arrabbiare, proprio come provava gusto nel far arrabbiare lui.

Insomma, dal momento in cui era nata, Rosemary aveva rappresentato per Joseph l'unico elemento incontrollabile della sua famiglia, qualcosa di diverso e che lo infastidiva terribilmente, ma per cui non poteva fare niente.

Eppure Rosemary avrebbe avuto tutti i numeri per diventare come sua madre, come pensava Joseph, se solo lo avesse ascoltato, se avesse obbedito ai suoi ordini, come i suoi fratelli.

Il perché Joseph non se lo spiegava. Evidentemente Rosemary era nata diversa. Certe volte Joseph trovava speranza nel pensare che Rosemary fosse entrata in un'età difficile, che non si fosse accettata nel suo sviluppo precoce, e che per colpa di questo si sentisse turbata, e quindi incapace di concentrarsi a scuola, di obbedire, di comportarsi come avrebbe dovuto. Forse era qualcosa che si sarebbe superato nel giro di pochi anni. Questo pensava Joseph, e gli era sufficiente per sentirsi meglio, o comunque meno preoccupato da Rosemary. Di solito questo stato di tranquillità non durava molto, perché era interrotto sempre da una serie di segnali che Rosemary lanciava.

Joseph si chiese se non sarebbe stato necessario intervenire in qualche modo su Rosemary.

Portarla in un centro. Farla curare da quel male invisibile.

3

In quegli attimi di serenità, lontani dal mondo, i figli di Joseph gli chiesero se potessero nuotare con lui. Joseph ne fu lusingato e, in un attimo, tutti i suoi pensieri svanirono. Per lui era una gioia stare coi suoi figli. Solo dopo qualche minuto si accorse che Rosemary era seduta lontano sulla spiaggia.

Si era allontanata dalla famiglia mettendosi a sedere lì.

Era preoccupata. Era convinta che qualcosa non andava in lei: ormai l'aveva capito. Si sentiva diversa. Non dai suoi amici però, o dai compagni di scuola, ma da suo padre. Lui la odiava. Questo la turbava enormemente, perché lei stessa finiva per disgustarsi del suo modo di essere.

Suo padre uscì dall'acqua e corse verso Eunice. Le baciò la guancia. Erano bellissimi. Rosemary pensò che era una vita che suo padre non lo faceva con lei.

Joseph si spostò verso John, più grande di un anno di Rosemary, e lo sfidò a fare a pugni, come se fosse un pugile. John iniziò a saltellare, imitando qualche pugile visto in tv. Alla fine Joseph fece finta di andare ko, e John gli si buttò addosso. Si abbracciarono per un attimo che a Rosemary sembrò infinito.

Suo padre Joseph se la prendeva con lei per i brutti voti. Rosemary proprio non poteva farci niente, odiava la scuola, i professori, i libri, il solo fatto di essere obbligata a studiarli. Era come se il mondo non fosse fatto per lei.

Si alzò.

Lei non se lo spiegava, non poteva saperlo, ma tutto quello che voleva era solo che suo padre le desse un bacio. Niente di più. Voleva piacergli, non pensare più di disgustarlo.

Ma questo non succedeva mai.

Ogni volta che lei e Joseph si sentivano più vicini, succedeva qualcosa che rovinava tutto, ma non era colpa di nessuno, se non del fatto che lei era Rosemary, e questa era una condizione che non si cambiava, sarebbe rimasta per sempre così, e a suo padre non sarebbe mai piaciuta veramente.

Si mise a sedere sopra la sabbia umida. Iniziò a piangere finché non sentì qualcuno che le si sedeva accanto.

Era Rose, sua madre.

Per Joseph, Rose era stata la moglie perfetta: per prima cosa veniva da una famiglia ricca e fra le più importanti di Boston. Gli aveva saputo dare i suoi figli, di cui tre maschi, che aveva accudito, cresciuto, educato praticamente da sola, e a cui badava tutti i giorni. Questo era tutto quello che Joseph si aspettava da una donna. Non gli serviva niente di più, anzi, di più sarebbe stato anche troppo, per una donna. Rose rispecchiava in pieno il suo ideale di moglie e di madre.

Anche lei era felice così. Amava Joseph, amava il suo lavoro e la sua carriera politica, spesso si nutriva della sua ambizione e lo nutriva a sua volta con le sue aspettative, aveva accettato senza problemi che fosse lui a controllare l'economia familiare, cosa che Joseph faceva molto meticolosamente ogni settimana, con un'ispezione accurata delle spese giornaliere, operazione che terminava spesso con qualche rimprovero bonario nei confronti della moglie per qualche acquisto non necessario.

Si potrebbe dire che l'unica differenza tra lei e Joseph era che Rose amava i suoi figli tutti allo stesso modo, e non li soffocava con l'idea che si era fatta di loro, o con l'angoscia di costruirgli per forza un futuro: lei pensava che sarebbero stati perfettamente in grado di costruirselo da soli. Questo includeva anche Rosemary, che Rose amava in modo speciale, perché percepiva il vuoto che le era dentro. Era come se lo vedesse e sapeva che l'unico modo per porne rimedio era riempire quel vuoto con tutto l'affetto di cui era capace.

4

Rose prese il volto della figlia tra le mani e lo portò sul petto. Fu in quel momento che il pianto di Rosemary si fece più forte e disperato.

«Cosa c'è, Rosemary?» disse sua madre. Le passò una mano tra i capelli, le accarezzò la testa, le baciò la fronte.

Rosemary si calmò, ma non rispose. Sperava soltanto che suo padre in quel momento non la vedesse.

Non avrebbe voluto, ma era stato piacevole piangere.

Rose la cullava e la stringeva nel suo abbraccio forte, materno.

«Perché piangi Rosemary?» chiese ancora Rose.

Rosemary non rispose. Non aveva voglia. Guardava fisso un punto lontano e non c'era modo di distrarla o farla parlare, Rose lo sapeva bene. Preferì restare lì in silenzio, accanto a sua figlia, e guardare quello che guardava lei, cercando di vedere quello che vedeva lei.

«Sono stupida», disse Rosemary, improvvisamente.

Rose non riuscì a rispondere.

«Sono stupida e papà mi odia», aggiunse Rosemary.

Rose non riuscì a far altro che ribadire che non era vero, che suo padre l'amava come amava ognuno dei suoi figli, solo che avevano due caratteri molto diversi.

Rosemary notò l'eccessiva dolcezza della madre, le carezze immotivate, quelle che si danno per consolare qualcuno. Pensò che perfino sua madre, non volendo, la stesse trattando da idiota.

5

Joseph si pulì i pantaloni schiaffeggiandosi le cosce. Si tolse gli occhiali, cercando di farsi passare il mal di testa improvviso.

Il lavoro era sempre nella sua mente, anche quelle volte che cercava di godersi la sua famiglia.

Guardò in lontananza Rosemary e sua moglie Rose che parlavano sedute in riva al mare.

Joseph sentì ancora una volta quella sensazione di pesantezza sul petto che lui chiamava angoscia e che adesso tornava a stringergli lo sterno.

La verità è che si sentiva angosciato da Rosemary a cominciare dal giorno della sua nascita.

Non era nata come gli erano nati tutti gli altri. Fu un parto difficile per Rose, si ricordò che le infermiere cercarono in tutti i modi di ritardare il parto in attesa che arrivasse il medico, e Joseph non si tolse mai dalla mente che quel ritardo, per quanto lieve, avrebbe per sempre danneggiato Rosemary.

Non contava più le innumerevoli volte in cui aveva chiesto a Dio di salvare sua figlia da quello che sarebbe stato un futuro da malata di mente. Perché di questo si trattava. Solo che nessuno aveva il coraggio di ammetterlo. Non lui, tantomeno sua moglie.

Temeva che, prima o poi, avrebbe perso il controllo su di lei, per qualche motivo, e l'avrebbe persa.

Joseph non aveva paura che sua figlia avrebbe affrontato le difficoltà di un mondo duro con meno mezzi degli altri fratelli. Non era questo a preoccuparlo.

Quello che temeva più di tutto era che qualcuno l'avrebbe scoperto. Giornalisti, avversari politici pronti a tutto e nemici di vario genere che avrebbero usato Rosemary contro di lui.

La verità è che una sciagura del genere avrebbe compromesso la sua carriera politica e in maniera ancora maggiore quella di Bob e di John. E un uomo come lui proprio non poteva permettere che accadesse qualcosa del genere. Per prima cosa, l'avrebbe spedita immediatamente in collegio.

6

1941

In collegio Rosemary era diventata ancora più grande, ancora più donna. Era diventata la più bella delle sue sorelle.

«Ma sei sicura che…»

«Sono sicura, te l'ho detto. Le suore a quest'ora dormono tutte. Dai, vieni qui.»

Era buio. Rosemary prese Gordon Flower per un polso e lo trascinò sul letto della sua stanza.

Solo in quel momento Gordon, studente dell'ultimo anno, si rese conto che la compagna di stanza di Rosemary era lì che dormiva nel suo letto.

«Rosy ma c'è anche lei! Non me l'avevi detto!» sussurrò.

«Sì ma è Doris, non ci sente, non ti preoccupare. Sbrigati dai… vieni qui.»

Rosemary afferrò le mani di Gordon Flower e le infilò sotto la camicetta. Gordon non sapeva più se era la paura a farlo tremare o l'eccitazione.

Era un ragazzo per bene, di buona famiglia, e sapeva che queste cose non andavano mai fatte: abbandonare il collegio maschile e intrufolarsi come un ladruncolo nella stanza di due ragazze, erano quel genere di cose che poteva raccontare il suo migliore amico Justin, che si vantava continuamente delle sue avventure con le ragazze del collegio, ma non certo lui.

Si era fatto imbrogliare da Rosemary, che aveva sentito essere la figlia di un pezzo grosso dei democratici, forse era un ambasciatore o qualcosa del genere.

Rosemary, respirando profondamente, lasciò scorrere le mani lungo il corpo esile di Gordon. Lui erano anni che aspettava di baciare una ragazza così carina, ed erano anni che sognava che una ragazza così carina lo toccasse in quel modo.

Improvvisamente suor Margareth e il direttore Perkins spalancarono la porta della stanza.

7

«Il consiglio dell'Istituto la informa che sua figlia Rosemary Fitzgerald Kennedy ha violato le regole del Collegio nel momento in cui è stata sorpresa nella sua stanza in atteggiamenti promiscui con lo studente Gordon Flower, nato nel 1923, a Boston, Massachusets.»

Joseph Kennedy lesse tutta la lettera. In fondo riportava la firma:

«John Perkins, Direttore del Sacred Heart Convent, Elmhurst, Providence, Rhode Island.»

Appena finito di leggere, la prima cosa che gli venne in mente di fare fu di accartocciare la lettera, strappandola come se questo fosse servito a cancellare il fatto. Come per ripulsa gettò la carta nel camino spento.

Aveva sempre pensato questo: gli ostacoli della vita si possono distruggere, cancellare, ammucchiare in una montagnola di cenere e lasciarseli alle spalle. Non è qualcosa di strano, lo fanno tutti, continuamente, solo che la maggior parte della gente ha paura di ammetterlo. Ma è così che funziona. Se lo ripeteva continuamente, quella sera, seduto nel salone della sua casa di Boston, mentre sorseggiava un bicchiere di brandy.

In quel momento, Rosemary rappresentava un ostacolo.

Non l'avevano ancora espulsa dal collegio solo perché Joseph ne era sempre stato il primo benefattore.

Non era la prima lettera che riceveva dal collegio. Una volta perché era uscita di notte, perché era fuggita, una volta per i pessimi voti, per aver risposto sgarbatamente ai professori, per essere stata vista mano per mano con un ragazzo e altre infrazioni imbarazzanti che Joseph neanche ricordava più.

Bisognava intervenire. Joseph Jr. aveva ormai ventisei anni, era appena uscito da Harvard e già era entrato nel Partito. John invece, ventidue anni, si era da poco iscritto alla stessa università.

Joe e John erano il futuro della famiglia, su questo non c'erano dubbi: non sarebbe stata Rosemary a rovinare tutto.

Joseph conosceva bene il panorama politico americano, sapeva che tutti si sarebbero aggrappati a qualsiasi cosa pur di screditare i suoi figli, anche al ritardo mentale di sua figlia.

Perché ormai aveva deciso che di questo si trattava: Rosemary doveva essere per forza una ritardata.

8

16 luglio 1941

Rosemary uscì dal collegio e raggiunse la famiglia nella casa a Bronxville, New York.

Era finalmente riuscita a diplomarsi, e lasciava per sempre il Sacred Heart Convent.

In stazione l'aspettava sua madre. Quando la vide l'abbracciò senza dire nulla.

A sua madre Rosemary sembrò vivace e piena di gioia come quand'era bambina, con lo stesso identico sorriso.

Ed era così. Rosemary era felice di essersi lasciata il collegio alle spalle. Desiderava cominciare qualcosa di nuovo.

Tutto questo cambiò quando suo padre le aprì la porta di casa.

«Rosemary», le disse soltanto. Non un bacio, un abbraccio, non un sorriso.

Joseph sembrava quasi infastidito di vederla di nuovo.

L'autista portò i bagagli in camera di Rosemary.

Rose andò a parlare al marito.

«Che ti prende?» disse.

Lui, in salone, con una mano davanti la bocca come per impedirsi di dire quello che avrebbe voluto dire, sospirò soltanto.

«È così diversa dai suoi fratelli, Rose. Sono preoccupato per lei. Dobbiamo fare assolutamente qualcosa.»

Rose si lasciò cadere sulla poltrona.

«Dobbiamo farla vedere da qualcuno», aggiunse Joseph. Si sbottonò la camicia.

Rose scuoteva la testa. «Ha solo bisogno di altro tempo. Non le mettiamo fretta, non c'è bisogno. Vedrai, andrà tutto bene per Rosemary. Deve solo trovare un buon marito.»

Joseph ascoltò la moglie, sapendo che non avrebbe detto niente di rilevante. E infatti non disse niente. Cercava sempre di essere conciliante, era ancora la stessa ragazza che aveva sposato.

Joseph si voltò di scatto verso la moglie. «La settimana prossima dovrò tornare in Inghilterra. Non posso lasciarla sola con te», disse.

«Di cosa hai pura Joe? Cosa pensi che possa succedere?»

«Niente», rispose lui. In realtà temeva che la sua casa

diventasse mira dei giornalisti per i comportamenti di Rosemary, che la seguissero mentre si incontrava con qualche ragazzo, che cominciassero a scrivere di lei in relazione ai suoi fratelli. Temeva che rimanesse incinta. E allora sarebbe stata davvero la fine.

«Dovrà pure esistere un modo per tenerla buona…» disse Joseph, più fra sé e sé che alla moglie.

«Potrei affidarle un tutor privato», propose Rose.

Joseph si portò le mani sui fianchi e scosse la testa alla proposta di Rose. Nella sua mente, per sua figlia, serviva qualcosa di molto più definitivo.

9

Rosemary faceva avanti e indietro di fronte allo specchio, in camera sua.

Era nuda.

Le mani sui fianchi. Rimase a guardarsi il corpo in penombra.

Le piaceva guardarsi allo specchio, sentirsi padrona del suo corpo, e anche solo il pensiero di essere libera di poterne fare quello che voleva la eccitava. Aveva voglia di uscire, andare a una festa, ballare fino a mattina, ubriacarsi, finire fra le braccia di qualcuno che non conosceva neppure. I suoi erano i desideri di una ragazza libera, erano i desideri di una ragazza che sentiva il bisogno di affermarsi, di sfuggire all'autorità paterna.

Suo padre adesso bussava alla porta e chiedeva il permesso di entrare.

Di corsa s'infilò la vestaglia di pizzo. Si guardò un po' intorno, per cercare se ci fosse qualcosa di sbagliato in giro. Si sentiva in colpa e non sapeva perché. «Sì papà», disse. Prese in mano la spazzola, facendo finta di pettinarsi.

Joseph si chiuse la porta alle spalle. Sospirò.

Rosemary non lo guardò, tenne fisso il suo sguardo nello specchio, ma era come se potesse vederlo: conosceva il suo sguardo indagatore. Non le servì vederlo, lo conosceva così bene che se lo immaginò.

Joseph si mise a sedere sul bordo del letto. Accarezzò con una mano le lenzuola. Non era facile parlare con Rosemary. Lo sapeva bene.

«Mary, vorrei portarti a Boston.»

Rosemary fissò lo sguardo su un punto dello specchio.

«Perché?» chiese.

«Voglio portarti da un medico. Perché credo sia la cosa migliore per te. Vorrei cercare di capire perché sei così.»

«Come, papà?»

«Irrequieta», disse Joseph. Finalmente aveva trovato l'aggettivo migliore. La stava trattando con una certa pietà, come se avesse pena di lei. Questo Rosemary non lo capì, ma lo percepì.

Non riuscì a rispondere, tanta era la rabbia. Si morse l'interno delle labbra fino a farselo sanguinare. Avrebbe voluto urlare. Di colpo gridò e tirò una boccetta di profumo francese contro il padre. La bottiglia si frantumò contro la parete e la stanza si riempì di profumo.

Joseph si alzò dal letto e in un attimo era davanti sua figlia. Rosemary ebbe paura di lui.

Joseph le afferrò il viso con la mano, stringendole le guance. Non sapeva nemmeno lui cosa avrebbe voluto fare, in quel momento. Sapeva solo che Rosemary gli aveva dato la scusa che aspettava per portarla dal dottor Sauvedis.

«Chiamo l'autista. Ti aspetto di sotto fra dieci minuti.

Sbrigati», disse Joseph. Lasciò le guance di Rosemary. Le aveva lasciato il segno delle sue dita. Uscì dalla stanza.

Rosemary scoppiò a piangere di nuovo.

10

Era più di un'ora che Rosemary era nello studio del dottor Henry Sauvedis, luminare di neurologia, il migliore in tutta Boston. Non usciva più.

Uscì per primo Sauvedis. Rosemary dietro di lui. «Joe, puoi venire un momento?» disse. Nel frattempo l'infermiera fece accomodare Rosemary in sala d'attesa. Con un gesto invitò Joseph ad entrare per primo nel suo studio, poi si chiuse la porta alle spalle.

«Allora?» disse Joseph. Conosceva Sauvedis dai tempi del college.

Sauvedis scuoteva la testa. «La situazione non è facile.»

Joseph fece segno di sì con la testa, come per dire che ne era perfettamente consapevole.

«La ragazza non ha alcun ritardo mentale, Joe. Soffre di forti sbalzi d'umore. Credo si tratti di una serie di disturbi emotivi sviluppati con la crescita, ma che potrebbero risolversi con una terapia. Sconsiglierei l'elettroshock. Non servirebbe a placarla.»

Joseph si schiarì la voce. Sussurrò. «Henry, sei sicuro che non si potrebbe fare qualcosa di più?»

Sauvedis aggrottò le sopracciglia. «Che intendi Joe?»

«Ho sentito di questa pratica…»

Rosemary vide suo padre Joseph uscire dallo studio di Sauvedis senza salutare, come se fosse stato cacciato o se ne fosse andato per una discussione.

Joseph la prese per mano e quasi la trascinò verso la macchina.

Era arrabbiato. Non aveva concluso niente. Avrebbe voluto che la procedura la eseguisse Sauvedis. E invece l'unica cosa che aveva ottenuto era un nome: dottor Walter Freeman, neurochirurgo.

11

Il giorno dopo, Freeman esaminava Rosemary. Le misurò il cranio, le fece dei test fisici e poi delle domande.

«Soffre di un disturbo emotivo che le provoca crisi di panico e ansia di affermarsi attraverso comportamenti che lei sa essere negativi», disse Freeman. «Possiamo correggere con il mio metodo.»

«Come funzionerebbe?» chiese Joseph.

«Be', entreremmo dall'occhio, Joseph. Lei non sentirebbe niente, anche se sarà sveglia. Sedata, ma sveglia. Farei un'incisione dietro la fronte, non più di un centimetro. Mentre il mio assistente, il dottor Watts, farà l'incisione, io parlerò a sua figlia, che sarà perfettamente cosciente, per poter verificare il suo stato di risposta cognitiva. Le chiederei di cantarmi *God Bless America* o di contare al contrario. Così faremmo una stima di quanto stiamo intervenendo in profondità sulla base delle sue risposte. Non appena comincerebbero a diventare poco coerenti, noi interromperemmo l'operazione.»

«E che… che comporterebbe?»

«In che senso?»

«Come diventerebbe dopo?»

«Si calmerà. Sarà come la vuoi tu.»

Joseph uscì dallo studio di Freeman con il volto fisso sul pavimento della clinica. Afferrò debolmente la mano di Rosemary, come fosse una bambina. Lei, infuriata, non diceva più una parola.

Suo padre voleva per forza trovarle qualcosa che non andava. Lei si sentiva bene, si sentiva normale, e lui doveva farla star male, ci riusciva sempre, proprio come quando era bambina, non era cambiato assolutamente niente.

Ma se non fosse stato così? Si chiese mentre l'autista le apriva lo sportello dell'auto, se avesse avuto ragione lui, e lei avesse avuto veramente bisogno di aiuto?

Rosemary non sapeva più se fosse normale o meno, non sapeva nemmeno più se stesse bene o male. Ma, nel profondo di sé, sentiva che avrebbe fatto di tutto pur di andare bene a suo padre, anche privarsi della sua stessa personalità. Avrebbe soltanto voluto essere accettata. Se non era riuscita a farsi accettare per quello che era, allora sarebbe stata disposta a farsi accettare per quello che non era.

12

Domenica Joseph riunì tutta la famiglia nella casa ad Hyannis Port, e alle richieste di spiegazioni dei figli e della moglie, disse soltanto che aveva voglia di passare una giornata fuori, tutti insieme, senza un reale motivo.

«Come quando i ragazzi erano piccoli», disse a sua moglie.

Anche Rosemary, come gli altri, si chiese il perché di quella gita, visto che, per quanto ne sapeva lei, suo padre non era mai stato un uomo che agiva d'impulso, uno che organizza una gita senza averla programmata mesi prima, senza aver avvertito tutti e soprattutto senza aver mandato i domestici a dare una pulita. Ma, a parte questo, Rosemary proprio non riusciva a spiegarsi quello strano atteggiamento che aveva Joseph nei suoi confronti: per prima cosa l'aveva fatta sedere davanti durante il viaggio in auto, cosa che per tutti equivaleva a una specie di approvazione. Poi, cosa ancora più incredibile, le parlava senza sentire il dovere di farlo, senza sforzarsi e senza sembrare disgustato da lei.

Rosemary si sentì così imbarazzata da non sapere cosa dire.

«Che ne pensi del college? Ti sei fatta un'idea, ci avevi mai pensato?» le chiese Joseph.

Rosemary era così poco abituata a questo tipo di dialoghi con il padre che fece una fatica tremenda per comportarsi in maniera normale, come avrebbe voluto lui, ma stavolta non perché si sentisse stupida o ritardata o chissà cosa: per una volta, si sentiva felice.

«Domani abbiamo appuntamento per una seduta col dottor Freeman. Vedrai tesoro, le farà bene.»

Rose, mentre sprimacciava i cuscini del divano in salone, non aveva bisogno che suo marito la chiamasse "tesoro" per rendersi conto che c'era qualcosa che non andava.

La domestica, arrivata di gran fretta, puliva la casa e spalancava le finestre per eliminare l'odore di umido. Il sole illuminò di colpo tutta la stanza, il pavimento di legno lucido, l'enorme persiano, il camino, i quadri, rifletté sull'argenteria.

«Che tipo di trattamento, Joe? Cosa le faranno?»

Joseph fischiettava mentre leggeva il «New York Times». Sotto di lui c'era una pila di giornali che doveva leggere prima di pranzo.

«Joe, mi hai sentito? Che tipo di trattamento?» ripeté Rose.

«Eh? Ah sì, ma niente tesoro, si tratta solo di alcune sedute in cui il medico proverà a parlarle per verificare il suo stato emotivo e cognitivo... tutto qui. Tesoro.»

Rose annuì. Sapeva che non ci sarebbe stato modo di fare

altre domande. Qualsiasi cosa Joseph si fosse messo in testa di fare a Rosemary, lei sapeva benissimo che non avrebbe mai potuto fermarlo. L'unica cosa che voleva è che sua figlia stesse finalmente bene. E se fosse stato necessario questo "trattamento", be', tanto meglio. Joseph sapeva sempre quello che faceva.

13

«Foto di famiglia!» disse Joseph dopo pranzo, al colmo dell'eccitazione.

L'idea sarebbe stata di farsi la foto fuori, sulla spiaggia, come sempre. Ma un temporale tanto violento quanto improvviso aveva mandato all'aria il suo piano. Non importava. La foto si fece dentro.

I suoi ragazzi, Bob, John e Joseph Jr., si alzarono da tavola sbuffando. Erano i suoi soldati, le sue colonne.

Le ragazze e il piccolo Ted invece si accomodarono subito sul divano. Le ragazze sorridevano, più composte, certo, ma sorridevano proprio come quand'erano bambine. Compresa Rosemary.

Joseph aveva sempre tenuto molto alle foto di famiglia. Se avesse potuto ne avrebbe fatta una al giorno. Perché il tempo era qualcosa che gli era sempre pesato, era uno degli ostacoli più grossi della sua vita, l'unico che non era riuscito a distruggere e lasciarsi alle spalle. Con le foto invece il tempo lo sconfiggeva, lo inchiodava, immobilizzandolo, sottomettendolo alla forza della sua volontà, e all'eternità del suo sangue.

Lui e sua moglie si sistemarono con Ted e i ragazzi sulla poltrona. Le ragazze, dall'altra parte della stanza, sul divano che avevano occupato.

«Sorridete. Sorridi, Rosemary!» disse Joseph. Rosemary obbedì.

La domestica scattò la foto.

Joseph guardò Rosemary, la fissò. A partire dal giorno dopo, quando avrebbe voluto ricordarla avrebbe guardato il sorriso caldo e smaliziato che era impresso sulla pellicola di quella fotografia, pensò. Ma non l'avrebbe più guardata negli occhi.

Joseph guardò sua moglie, inconsapevole di ogni cosa. Guardò i suoi figli, innocenti anche loro. Nessuno poteva sapere quanti sforzi avesse fatto per la sua famiglia. Nessuno ne aveva idea. Solo lui poteva saperlo veramente.

Si alzò. Diede un bacio sulla fronte a Rosemary.

A partire dal giorno seguente, Rosemary Fitzgerald Kennedy, per come la conoscevano tutti, per come era stata ritratta da sempre sulle innumerevoli foto di famiglia, non sarebbe esistita più.

14

Il giorno seguente Rosemary partì con suo padre per il trattamento con il dottor Freeman. Per trattamento si intendeva un intervento di lobotomia frontale, eseguito dallo stesso dottor Freeman e dall'assistente Watts.

L'operazione durò pochi minuti, e fu così disastrosa che Rosemary venne ridotta alle capacità cerebrali di una bambina di due anni. Incapace di articolare frasi di senso compiuto, di provvedere a se stessa, incontinente, Rosemary Fitzgerald Kennedy invecchiò nella clinica di St. Coletta, nel Wisconsin, e sopravvisse ai suoi fratelli Joseph Patrick Kennedy Jr., morto in azione durante la Seconda guerra mondiale nel '44,

Kathleen Agnes Kennedy, morta nel '48 per un incidente aereo, John Fitzgerald Kennedy, assassinato nel '63, Robert Francis Kennedy nel '68.

Morì nel 2005, a ottantasei anni, coperta dall'ombra della sua famiglia.

Suo padre, Joseph Patrick Kennedy, era morto nel 1969, ad Hyannis Port, a seguito di un ictus che lo aveva lasciato muto e paralizzato.

Sua madre Rose era morta anche lei a Hyannis Port, nel 1995. Appena dopo la morte del marito, aveva cominciato ad andare a trovarla in clinica insieme alle figlie Eunice, Jean e Patricia.

Suo fratello John, durante il suo mandato da Presidente degli Stati Uniti, rappresentò il sogno americano. Da una parte contribuì con delle donazioni a molte cliniche per malattie mentali, ma dall'altra, malgrado le molte domande incalzanti dei giornalisti, non rivelò mai la verità su Rosemary Fitzgerald Kennedy.

1

L'artista contemporaneo Maurizio Cattelan chiede l'elemosina davanti all'ingresso del MOMA, Museum of Modern Art di New York, travestito da Picasso.

Indossa una maglia a strisce bianche e rosse. In testa la maschera di Picasso di lattice e silicone.

Ai passanti dice: «Sono il più grande artista del mondo, datemi qualcosa».

Con sua grande sorpresa i passanti non riconoscono Picasso. Ne sono disturbati e in molti si allontanano da lui. Lo credono un folle.

Cattelan si sfila la grossa maschera e si rivela al suo pubblico di passanti.

L'effetto è lo stesso: nessuno lo riconosce. Il volto più noto al mondo dell'arte contemporanea non viene riconosciuto.

Sta rannuvolando, c'è odore di pioggia e il vento si alza.

Il poco pubblico di Cattelan si disperde correndo via, intuendo il temporale.

Cattelan rimette la maschera di Picasso e mostra la sua nuova opera d'arte "Artista che chiede elemosina a gente che fugge da un temporale".

I passanti lo ignorano e lo spingono via.

C'è un gruppo di persone, davanti all'entrata, che non

fugge. Uomini e donne che sembrano usciti da qualche secolo precedente. Gli uomini del gruppo indossano completo scuro e papillon, sono tirati a lucido, fumano sigari e portano i capelli pettinati da un lato, lucidi di brillantina. Le donne, profumate, indossano pellicce e abiti da sera.

Cattelan si incuriosisce. Li osserva.

Un uomo molto alto stringe la mano di una bellissima ragazza.

Una donna di circa vent'anni scherza con un altro uomo, che l'abbraccia e le bacia la fronte. Sembrano fratelli, più che amanti.

Un gruppo di ragazzi segue la propria guida, che sembra parlargli dell'architettura del Moma.

Su un lato dell'edificio, un gruppo di operai sta scendendo dalle impalcature prima dell'arrivo del temporale. Un uomo, staccatosi dal gruppo, li osserva, interessato, con le mani dietro la schiena.

Arriva proprio ora un uomo alto, il più elegante di tutti, così bello da far voltare le donne che incontra: fuma una sigaretta e cammina al passo di un'anziana signora che gli sta accanto. Lei si appoggia a lui. Camminano sottobraccio.

In fondo, verso la parete, due tizi, un uomo e una donna, parlano forse del contenuto dei libri che hanno in mano.

Cattelan si avvicina. C'è una donna che gli sembra troppo robusta, per essere una donna. Si avvicina ancora al gruppo. Non è una donna: è un uomo travestito, proprio come lui. E dietro di lui c'è un uomo anziano, pochi capelli bianchi in testa, che gioca con una bambina. Una donna, sembrerebbe la madre della bambina, li osserva, divertita.

Cattelan si toglie la maschera.

Inizia a piovere. Il gruppo entra velocemente nel museo. L'uomo più elegante di tutti tiene la porta, aspettando che tutti siano entrati, da vero gentiluomo.

Sono tutti dentro.

Cattelan li segue, si copre la testa dalla pioggia con la maschera. Entra correndo.

2

Il Moma non è mai stato così vuoto. Non c'è nessuno. Solo il gruppo di persone appena entrate.

Cattelan, incredulo non avendolo mai visto così deserto, cammina lentamente per il museo, sente i suoi passi rimbombare contro le pareti bianche, sale le scale, segue il gruppo, finché non si perde del tutto e l'unica cosa che gli interessa è seguire quelle persone, come se fossero l'unica vera opera d'arte del museo.

Gli sembra di sentire un piano suonare da qualche parte. Al Moma si erano sempre sentiti solo i colpi di tosse dei visitatori e nient'altro, che adesso si sentisse anche della musica era qualcosa di impossibile.

Il gruppo supera compatto Warhol e Duchamp, ai quali nessuno sembra molto interessato.

Salgono le scale. Cattelan continua a star loro dietro.

Adesso sfilano Van Gogh, Cézanne, Degas. Il gruppo comincia a separarsi.

Davanti a *La Danza* di Matisse, si fermano il signore coi capelli bianchi, la bambina e la madre.

Quel signore deve essere di una simpatia unica.

Sta prendendo in giro il quadro per far divertire la bambina. Prende in giro Matisse, come se l'avesse conosciuto, come se fosse stato un suo vecchio amico. Lei ride e applaude.

Succede qualcosa di strano. Cattelan socchiude gli occhi.

Gli sembra di conoscere l'uomo dai capelli bianchi. In realtà era una sensazione che aveva già provato quando l'aveva visto lì fuori, all'entrata del museo, ma ora gli sembra ancora più forte: quell'uomo gli sembra di conoscerlo da una vita. Si avvicina, sente che la sua presenza sta diventando quasi ingombrante, ma né l'uomo dai capelli bianchi né la bambina né sua madre sembrano averlo notato.

Finalmente lo riconosce. Non è possibile.

L'uomo estrae un pezzo di carta dalla tasca e una matita. Fa un disegno, una specie di scarabocchio. Lo guarda. «Bon», dice. Lo regala alla bambina.

Lei, inspiegabilmente felice, corre dalla madre e le porge il pezzo di carta. La madre lo guarda, lo stringe sul petto. E commossa, piange.

L'uomo mostra loro dei quadri. Li nomina uno per uno, li descrive.

Autoritratto, *Due acrobati con cane*, *Les demoiselles d'Avignon*. Tutti di Picasso.

3

È una cosa impossibile. Forse è solo una sua suggestione.

Cattelan cerca di sbirciare il disegno che l'uomo ha regalato alla bambina. Sembra qualcosa che dovrebbe essere esposto in un museo. Uno si vanta per una vita di saper riconoscere l'arte e non può non riconoscerla quando ce l'ha davanti, quando è vera.

Ma Cattelan non capisce.

Vede altre persone del gruppo passare in fondo alla sala. Corre da loro.

Adesso deve assolutamente riuscire a capire chi siano.

Lascia l'uomo dai capelli bianchi, lascia Picasso. Inizia a correre.

Entra in una sala, poi in un'altra. Si ferma dietro alla coppia, quella del ragazzo alto e della ragazza bellissima.

Sono due innamorati, non c'è che dire, non fanno altro che scambiarsi baci e tenersi per mano. Guardano Dalì.

Cattelan si avvicina il necessario per riuscire a sentirli parlare. Sono di spalle, si baciano di continuo, non riesce a vederli in viso. Non gli importa se potrebbe sembrare indiscreto, anzi, gli sembra quasi che nessuno in questo Museo, per qualche motivo, si accorga della sua presenza.

«Ti amo, sono così felice di ripetertelo. Vorrei continuare a dirtelo per sempre», dice il ragazzo.

«Anch'io ti amo. Sarà per sempre così. Non ci chiederemo più dove volano le anatre d'inverno.»

Cattelan si ripete i loro nomi nella mente, cercando un qualche collegamento. Gli dicono qualcosa, ma non ricorda di che si tratta.

Un colpo di tosse improvviso. Cattelan quasi salta per lo spavento. Si volta. C'è un bambino, spuntato dal nulla, che, seduto sulla sedia di un custode, legge un libro.

Cattelan si piega a cercare di leggere il titolo.

Il ragazzo alto si volta e guarda il bambino.

«Mi somiglia, non trovi? Quel bambino seduto lì. Hai visto cosa sta leggendo?» dice alla fidanzata.

Oona guarda il bambino. «È vero, ti somiglia.» Gli accarezza un braccio.

«Sembra gli stia piacendo, vero? Guarda come legge rapito, non ci ha nemmeno notati, non si è accorto che lo stiamo fissando e stiamo parlando di lui. Per una volta, davvero, sono contento di quel libro, sono contento di averlo scritto.»

La coppia se ne va. Il bambino è lì che continua a leggere, immobile come una statua.

Cattelan si piega quel tanto che serve per leggere il titolo in copertina.

Il titolo non c'è.

Un uomo, quello che fissava gli operai che smontavano dalle impalcature, gironzola per il museo ignorando completamente le opere. A lui sembrano interessare i custodi.

Ne spunta uno. Spunta un gruppo di operai che sta ripitturando una stanza vuota.

L'uomo li fissa, sempre con le mani dietro la schiena, come se fosse un'ispezione. Ha un completo che sembra troppo grande per lui.

Sembra soddisfatto da qualcosa. Si compiace.

Si avvicina a un operaio e gli sfila il casco dalla testa.

Lo maneggia, gli dà dei colpi con la mano per sentirne il rumore.

«Bene, bene. Approvato», dice. Restituisce il casco all'operaio, che sparisce nella stanza affianco.

Cattelan, si mette davanti all'uomo. Lo guarda. Lui nemmeno se ne accorge. Se non fosse così suggestionato gli potrebbe ricordare Kafka. Ma cosa c'entra un grande scrittore con degli operai?

4

«Guarda», dice una donna. Indossa un vestito scollato, lungo fino alle ginocchia, porta i capelli legati dietro la nuca.

L'uomo vicino a lei le stende un braccio sulle spalle. Le bacia continuamente la fronte.

«È bellissima, vero?» dice l'uomo.

Guardano la *Marilyn* di Warhol.

«Chissà se a papà sarebbe piaciuta», dice lei.

«No. Non credo proprio. Non era una donna che lui avrebbe considerato "per bene"», risponde l'uomo, e si mette a ridere.

Sono fratelli, pensa Cattelan. Li osserva di spalle, anche loro. Lui è austero, rigido, ma sembra un fratello affettuoso, pieno di premure. Lei continua a parlare, mentre appoggia la testa sul petto del fratello, come per sentirsi più protetta.

L'uomo si volta. Guarda qualcosa, dall'altra parte della stanza. «Ciao Hem!» dice, alzando il braccio.

Cattelan si volta. Vede un'altra donna, è quella che all'entrata gli era sembrata robusta, alta, forse troppo.

È il travestito.

«Ciao, J.!» dice, con la voce da donna. Sembra la cosa più naturale del mondo, pensa Cattelan. Non c'è niente di stonato, di volgare o di sbagliato. Sembra un uomo che non ha più da combattere, finalmente in pace con se stesso.

«Questo è l'*Urlo*. Allora, venite tutti», dice la guida agli studenti che accompagna.

È un uomo piccolo, vispo, il volto estasiato dall'arte e dalla compagnia, sereno, pieno di luce.

È vestito completamente di nero.

«L'orrore, ecco cos'è. Forse non c'era bisogno di tanti racconti per descriverlo», dice l'uomo indicando l'opera di Munch, «esistono uomini che dell'orrore hanno fatto la propria vita, fino a perderla. Non cedete mai all'orrore. La conoscete quella frase, non ricordo più di chi sia, "se guardi troppo spesso l'abisso, l'abisso inizia a guardare te"? Be', io l'ho scoperta poco fa. Avrei voluto scriverla io», dice. I ragazzi lo ascoltano, lo guardano fissi e adoranti, come si guarderebbe, che so, uno scrittore grandioso.

Cattelan è sempre più stordito. Gli sembra di trovarsi in un luogo che non esiste. Di essere stato nell'arte per una vita, ma di non esserci mai entrato veramente: lo sta facendo ora. Tutto questo, tutta quella gente, gli sembra parte di un'opera d'arte più grande, infinita, che nessuno conosce. Sarebbe bello se fosse così.

C'è un tipo strano, ha un libro in mano, accompagnato da una ragazza che stringe un mucchio di fogli, una specie di manoscritto. L'uomo fa una cosa per cui, normalmente, sarebbe stato ucciso dai sorveglianti del Moma: sta firmando tutti i quadri della sala uno per uno. Legge a malapena: Steph… King… o qualcosa del genere. La ragazza dietro di lui sembra divertita. Cattelan invece sta impazzendo.

«Vedi come faccio io? Bisogna scrivere sempre, dovunque ti trovi», dice l'uomo.

Si sentono dei passi, molto distanziati fra loro.

Spuntano nella sala l'uomo elegantissimo, quello più elegante di tutti, accompagnato dalla signora anziana.

«Eccoci mamma», dice l'uomo.

Cattelan li guarda entrambi. Quell'uomo ha qualcosa di

noto, anche lui, come tutti gli altri, gli è familiare, ma non riesce ad averne una visuale completa. Anche quell'uomo, come gli altri, ha un'aura tutta intorno, una luce d'argento che ne rende sfocati i tratti del viso, e che affatica la vista di Cattelan.

Improvvisamente l'uomo elegante si volta e lo guarda dritto negli occhi. Si avvicina a Cattelan. Lui avrebbe voglia di scappare.

«Buonasera, Signore.»

L'uomo gli porge la mano. Cattelan gliela stringe. Lo fissa negli occhi.

«Lei ha capito, non è vero?» dice l'uomo, mentre si accende una sigaretta.

Cattelan è pietrificato. Sente dei rumori. Si volta.

Entrano tutti nella stanza. L'uomo dai capelli bianchi insieme alla bambina con la madre, la coppia di fidanzati insieme al bambino che legge, l'uomo che ispezionava gli operai, la coppia di fratelli, il travestito, la guida vestita di nero con gli studenti, il tipo strano che firmava i quadri insieme alla ragazza con il manoscritto e, infine, l'uomo elegante e sua madre.

Tutti, finalmente, lo guardano.

«Tu sai chi siamo noi?» dice l'uomo elegante.

D'improvviso tutto gli è chiaro.

Quell'uomo elegante è Cary Grant, e quella lì in fondo è sua madre. E poi c'è Picasso, l'uomo dai capelli bianchi, insieme a Danielle e sua madre Suzanne. E la coppia Salinger e Oona. E Kafka, che ispezionava gli operai. Poe, la guida in nero. Hemingway, vestito da Ernestina. Stephen King con il libro di Betty Love e Sue, la libraia. Rosemary e John Fitzgerald Kennedy.

Capisce di ritrovarsi dentro un'installazione, un grande show di uomini e donne che hanno vissuto, creduto, sbagliato, pianto, sofferto, hanno abusato di se stessi o della loro fama, hanno mentito, hanno amato e sono stati amati tanto quanto hanno odiato, hanno perso e hanno vinto, ma non sono mai morti.

BIBLIOGRAFIA

Picasso, Gertrude Stein, Dover Publications, settembre 1984.

Picasso: A Biograph, Patrick O'Brian, Harper Collins, ottobre 2010.

Picasso: Life and Art, Pierre Daix & Olivia Emmet, Icon Editions, 1993.

Pablo Picasso: Breaking All the Rules, True Kelley, Grosset & Dunlap, dicembre 2002.

Picasso: His Life and Work, Roland Penrose, University of California Press, dicembre 1981.

Picasso at 90, di Klaus Gallwitz, Littlehampton Book Services Ltd, novembre 1971.

Pablo Picasso: The Early Years, Marilyn McCully & Natasha Staller, National Gallery of Art, giugno 1997.

Pablo Picasso Life and Work, Elke L. Buchholz & Beate Zinnermann, Konemann 1994.

Cary Grant: Dark Angel, Geoffrey Wansell, Bloomsbury Publishing, Gran Bretagna 1996 (Edizione italiana: *Cary Grant: tra fascino e ironia, la carriera e i film di un perfetto gentiluomo*, Gremese Editore, maggio 1998).

Cary Grant: A Biography, Marc Eliot, Aurum Press Ltd, febbraio 2006.

Cary Grant, The Wizard of Beverly Grov, Bill Royce, Cool Titles, LLC, marzo 2012.

Cary Grant, Graham McCann, Columbia University Press, marzo 1998.

The life and loves of Cary Grant, Lee Guthrie, Drake Publishers, 1977.

Cary Grant: The Lonely Heart, Charles Higham & Roy Moseley, marzo 1989.

The Films of Cary Grant, Donald Deschner, Citadel Press, gennaio 1973.

Evenings With Cary Grant: Recollections in His Own Words and by Those Who Knew Him Best, Nancy Nelson, William Morrow & Co., ottobre 1991.

Cary Grant: His Movies and His Life, Pamela Trescott, Acropolis Books Inc., novembre 1987.

Salinger, David Shields e Shane Salerno, Simon & Schuster, settembre 2013 (edizione italiana: *Salinger, la guerra privata di uno scrittore*, ISBN Edizioni, maggio 2014).

In search Of J.D. Salinger, Ian Hamilton, Faber and Faber, novembre 2011. *Salinger: A Biography*, Paul Alexander, Renaissance Books, giugno 1999. *J. D. Salinger: A Life*, Kenneth Slawenski, Random House, gennaio 2011. *J.D. Salinger: The Escape Artist*, Thomas Beller, New Harvest, giugno 2014. *J.D. Salinger: My Salinger Year*, Joanna Rakoff, Random House, giugno 2014. *J.D. Salinger*, Raychel Haugrud Reiff, Marshall Cavendish, 2008.

Dream Catcher: A Memoir, Margaret A. Salinger, Washington Square Press, ottobre 2001 (edizione italiana: *L'Acchiappasogni*, Bompiani, gennaio 2001).

Il giovane Holden, J.D. Salinger (traduzione di Adriana Motti), Einaudi, maggio 2001.

Nove Racconti, J.D. Salinger, Einaudi, maggio 2009.

Kafka. Per cominciare, Robert Crumb & David Z. Mairowitz, Feltrinelli, gennaio 1995.

Franz Kafka, una biografia, Max Brod, Passigli, novembre 2008. *Kafka*, Pietro Citati, Rizzoli, novembre 1987.

Kafka: The Years of Insight, Reiner Stach, Princeton University Press, giugno 2013.

The Nightmare of Reason: A Life of Franz Kafka, Ernst Pawel, Farrar, Straus and Giroux, marzo 1992.

Franz Kafka: The Poet of Shame and Guilt, Saul Friedländer, Yale University Press, aprile 2013.

L'Assicuratore, Franz Kafka, Ornitorinco Edizioni, luglio 2014. *I Racconti*, Franz Kafka, Longanesi, 1977. *Lettera al padre. Gli otto quaderni in ottavo*, Franz Kafka, Mondadori, 2005. *Confessioni e diari*, Franz Kafka, Mondadori, 2013.

Edgar Allan Poe: A Critical Biography, Arthur Hobson Quinn & Rosenheim, Johns Hopkins University Press, novembre 1997.

Edgar Allan Poe, Jules Verne, Editori Riuniti, settembre 1997.

Edgar Allan Poe, Charles Baudelaire, Passigli, novembre 2001. *Edgar Allan Poe: Beyond Gothicism*, James M. Hutchisson, University Of Delaware, giugno 2013.

Edgar Allan Poe (Just the Facts Biographies), Thomas Streissguth, Lerner Pub Group, febbraio 2007.

Midnight Dreary: The Mysterious Death of Edgar Allan Poe, John Evangelist Walsh, Palgrave Macmillan Trade, maggio 2000.

Edgar Allan Poe: Poetry and Tales, Edgar Allan Poe, Library of America, agosto 1984.

Racconti, E.A. Poe, Garzanti, 1972.

Hemingway: A Biography, Jeffrey Meyers, Da Capo Press, maggio 1999.

Ernest Hemingway: a Literary Life, Linda Wagner-Martin, Palgrave Macmillan, dicembre 2010 (edizione italiana: *Ernest Hemingway. Una vita da romanzo*, LIT – Libri in Tasca, febbraio 2012).

Papa Hemingway: A Personal Memoir, A. E. Hotchner, Da Capo Press, aprile 2005.

Hemingway's Boat: Everything He Loved in Life, and Lost, Paul Hendrickson, Vintage, luglio 2012.

Hemingway, Fernanda Pivano, Bompiani, marzo 2011.

Ernest Hemingway, Anthony Burgess, Literary Lives, maggio 1999 (edizione italiana: *L'importanza di chiamarsi Hemingway*, Minimum Fax, giugno 2008.

I quarantanove racconti, Ernest Hemingway, Mondadori, giugno 2001.

On Writing – A Memoir Of The Craft, Stephen King, Pocket Books, 2001. *Carrie,* S. King, Bompiani, 2013.

L'orrore secondo Stephen King, Tim Underwood e Chuck Miller, Mondadori, gennaio 1999.

John F. Kennedy: A Biography, Micheal O'Brien, St. Martin's Griffin, maggio 2006.

The Kennedy Women: The Saga of an American Family, Laurence Leamer, Ballantine Books, settembre 1996.

An Unfinished Life: John F. Kennedy, 1917-1963, Robert Dallek, Back Bay Books, maggio 2004.

Stampa:

ABC, *Stephen King mistaken for vandal in Alice*, 23 agosto 2007.

BBC, *Author King 'mistaken for vandal'*, 16 agosto 2007.

The Telegraph, Sally Peck, *Stephen King mistaken for vandal in Outback*, 16 agosto 2007.

The Sins of the Father: Joseph P. Kennedy and the Dynasty he Founded, Ronald Kessler, Warner Books, 1997.

Questo libro non esisterebbe senza il prezioso aiuto di Valerio Piperata, che mi ha aiutato nella composizione e in molte ricerche delle fonti sugli episodi, tutti reali, che ho raccontato. Un ringraziamento anche per i consigli quasi quotidiani sul divenire del romanzo.